André Kaminski

Der Sieg über die Schwerkraft

und andere Erzählungen

Insel Verlag

insel taschenbuch 2319
Erste Auflage 1990
Insel Verlag Frankfurt am Main

Hinweise zu dieser Ausgabe am Schluß des Bandes
Vertrieb durch den Suhrkamp Taschenbuch Verlag
Umschlag nach Entwürfen von Willy Fleckhaus
Satz und Druck: Wagner GmbH, Nördlingen
Printed in Germany

1 2 3 4 5 6 – 95 94 93 92 91 90

insel taschenbuch 2319
André Kaminski
Der Sieg über die Schwerkraft
Ein insel taschenbuch
im Großdruck

Inhalt

Der Sieg über die Schwerkraft

Ich versuche seit meiner Kindheit das Unmögliche zu beweisen. Daß die Menschen gut sind, daß unser Leben einen Zweck hat, daß man die Welt verbessern kann. Ich schwimme gegen den Strom. Was heißt gegen den Strom? Gegen den Mississippi schwimme ich. Gegen den Yang Tse Kiang. Gegen die Stromschnellen des Sambesi. Ich riskiere jeden Augenblick in die Tiefe gerissen zu werden. Ich möchte zeigen, daß die Naturgesetze nur ein Vorurteil sind. Daß es keine Schwerkraft gibt. Daß der Geist stärker ist als das Fleisch, aber jedesmal kriege ich Prügel. Vom ersten besten Leimsieder, der sich auf die Erfahrungen beruft und nachweist, daß es sein muß, wie es ist und nie anders sein wird. *Ich* bin der gegenteiligen Überzeugung. Ich glaube, daß die Phantasie nichts anderes ist als die Widerspiegelung einer zweiten Realität. Unsere Träume sind Schattenrisse des Möglichen. Darum klammere ich mich an jeden Strohhalm. An Genfud zum Beispiel, der aussah wie ein Stockfisch und nichts für mich übrig hatte als Verachtung. Ihn wollte ich emporheben, denn in seinen Augen schimmerte ein Licht. Das Leuchten der Antimaterie.

Ich sollte eine Fernsehschule aufbauen. In Algier. Ein Jahr nach der Befreiung. Wir setzten ein Inserat in den »Mudschahid« und gaben bekannt, daß am 1. Oktober 1963 eine Prüfung stattfinden werde. Es meldeten sich viertausend. Ein Weltrekord. Es schien, als wollte jeder zweite Algerier Regisseur werden. Oder Drehbuchautor. Oder Kameramann. Viertausend Jungen haben sich gemeldet. Und drei Mädchen. Von den viertausend Kandidaten beriefen sich 3 980 auf ihre vaterländische Gesinnung. Auf ihren Wagemut während des Befreiungskrieges. Sie zeigten uns Narben, Holzbeine, Verstümmelungen sowie die verschiedensten Orden und Ehrenzeichen. Wir schickten sie zur Offiziersschule, denn bei uns waren sie an der falschen Adresse. In unserem Beruf hatten sie nichts zu suchen, weil wir Hasenfüße sind. Unsere Perversionen werden in der Phantasie ausgelebt. Wir morden nur in unseren Träumen. Wir stehlen höchstens fremde Ideen, und wenn uns nach des Nachbarn Weib gelüstet, geschieht es bestenfalls in unseren Drehbüchern.

Die übrigen Kandidaten, die keine heroische Vergangenheit nachweisen konnten, wurden einem Examen unterzogen. Die Prüfungskommission bestand aus vier Zivilisten: Hossein, Kersabi, Dschaffar und ich. Keiner von uns hatte je eine Waffe getragen. Keiner hatte je im Gefängnis gesessen, und den Ernstfall kannten wir nur vom Hörensagen. Das machte uns Kummer. Wir wurden von Schuldgefühlen gepeinigt, weil wir noch am Leben waren. Wir gehörten jener Generation an, die zum Heldenkult erzogen wurde, zur Ehrfurcht vor höheren Zielen und Verachtung des Alltäglichen. Darum gingen wir zum Film. Oder zum Fernsehen. Um uns wenigstens auf der Leinwand zu opfern. Oder auf dem Bildschirm.

Wir waren das Fundament der künftigen Fernsehschule und sollten zwanzig Männer examinieren und drei Frauen. Wir hatten geniale Ideen, aber keine Ahnung, nach welchen Gesichtspunkten wir die Schüler aussuchen würden. Gleich zu Anfang ging die Türe auf und Genfud trat in den Saal. Kaum stand er vor uns, begann er auch schon seine Chancen zu versauen. Er war häßlich und verschwitzt. Roch nach ranzigem Öl. War dünn noch, grauäugig, abweisend. Das alles hätten wir ihm verziehen, wenn er nicht so ruppig gewesen wäre. Er war gegen uns. Versuchte nicht einmal, mit uns ins Gespräch zu kommen. Er stand da und stank. War abgeblitzt, bevor er zu Wort kam. Ich stellte ihm – der Ordnung halber – eine Routinefrage, damit er nicht herumerzählte, man habe ihn nicht geprüft:

– Warum wollen Sie zum Fernsehen, Monsieur Genfud?

– Weiß ich nicht, antwortete er und blickte zur Decke.

Kersabi war nicht gewillt, sich beleidigen zu lassen, und erklärte frostig:

– Kommen Sie wieder, wenn Sie es wissen. In einem Jahr oder sonst einmal.

Ich hatte Mitleid mit dem Jungen und fragte ihn, wozu er denn die lange Reise gemacht habe, von Tlemcen nach Algier, wo er doch keine Ahnung hatte, welches sein Ziel sei. Da gab er zurück, es sei nicht unsere Aufgabe, ihn auf seine Ziele zu prüfen, sondern auf seine Kenntnisse. Was er sich wünsche, sei seine Sache und gehe mich nichts an.

Die Anwort war unerhört. Sie war sogar logisch. Ich bekam Lust, den Kerl kennenzulernen, und versuchte, näher an ihn heranzurücken:

– Haben Sie eine Beziehung zur Malerei?

– Nein.

– Zur Literatur?

– Nein.

– Die Kunst läßt Sie kalt?

– Ich habe mich nie sattgegessen, Monsieur. Für Leute wie mich ist die Kunst ein Luxus.

Damit hatte er mich erwischt. Er traf ins

Schwarze meiner Schuldgefühle, denn ich hatte immer gut gegessen.

– Wie meinen Sie das, »nie sattgegessen«?

– Das heißt, daß ich einen leeren Magen habe, sagte er und riß sein Hemd auf. Wie ein schlechter Schauspieler. Da war nichts zu sehen als ein Skelett mit gelblicher Haut darüber. Ich schämte mich in den Boden hinein und fragte unsicher:

– Sie sagen, daß Sie noch nie ein künstlerisches Erlebnis, noch nie Gänsehaut gehabt haben?

– Doch. Einmal.

– Erzählen Sie!

– Musik habe ich gehört. In Tlemcen. Da bin ich aufgewachsen.

– Also ein Konzert?

– Nein.

– Aber was?

– Ein Transistor. Auf dem Suk. Jeder Krämer hat dort einen Transistor, um die Kunden anzulocken. Tausend Transistoren; stellen Sie sich den Lärm vor!

– Aber Sie hören gerne Musik?

– Nein.

– Soeben haben Sie gesagt, daß Sie Musik gehört haben, die Ihnen Gänsehaut verursachte.

– Einmal, habe ich gesagt.

– Und? Was war das?

– Die neunte Symphonie von Beethoven.

Hossein lächelte herablassend. Kersabi putzte ärgerlich seine Fingernägel, und Dschaffar zündete sich eine Zigarette an. Genfud machte sich lustig über uns. Oder wollte uns imponieren. Ein Lumpenproletarier aus Tlemcen. Wollte sich interessant machen. Ein bekannter Trick. Die neunte Symphonie von Beethoven. Hatte ein Fremdwort aufgeschnappt und warf es uns an den Kopf! Meine algerischen Kollegen waren wütend. Und ich verwirrt. Möglicherweise sprach er die Wahrheit, und ich bohrte weiter, ob er sich an etwas erinnere aus dieser Symphonie.

– An alles, Monsieur. An jeden Ton. Und besonders an den letzten Satz. Den mit dem Chor.

– Was für ein Chor?

– Die Ode an die Freude. Wissen Sie nicht, was das ist?

Jetzt verschlug es uns den Atem. Das klang echt, aber wir wollten es noch immer nicht glauben. Ich fragte, worum es sich denn handle, bei dieser Ode an die Freude.

– Um die Freude.

– Natürlich um die Freude – was weiter?

– Der Text ist von Schiller. Ich habe deutsch gelernt, um ihn zu verstehen.

– Deutsch haben Sie gelernt?

– Bei einem Fremdenlegionär, der nicht nach Deutschland zurück will. Ein Freund von mir. Arbeitet bei einem Metzger nebenan.

– Der geeignete Lehrer, murmelte ich vor mich hin.

Genfud spürte meine Ironie, schaute mich herausfordernd an und fragte, ob ich deutsch verstehe.

– Ein wenig, sagte ich lächelnd, das ist meine Muttersprache.

– Dann will ich Ihnen etwas sagen in Ihrer Muttersprache.

– Bitteschön!

– Freude schöner Götterfunken
Tochter aus Elysium
wir betreten feuertrunken
himmlische, dein Heiligtum.

Seine Aussprache war erbärmlich. Wenn ich nicht gewußt hätte, was er da aufsagte, hätte ich gemeint, es sei arabisch. Aber es stimmte. Das waren Schillers Worte. Und er sprach sie mit soviel Innigkeit und strahlender Beglückung, daß wir uns gezwungen sahen, unser Urteil zu überdenken. Er konnte wirklich deutsch. Er hatte die neunte Symphonie gehört. Eine fremde Sprache gelernt, um Beethovens Botschaft besser zu verstehen. Jetzt wollte ich etwas tun, damit er aufgenommen würde, und stellte ihm eine Prüfungsfrage:

– Hören Sie, Monsieur Genfud. Nehmen wir an, Sie wären ein Regisseur. Beim algerischen Fernsehen, das wir hier aufbauen sollen. Oder sagen wir neu aufbauen, denn die Franzosen sind gegangen, und ihr habt keine Fachleute, um es wieder in Bewegung zu setzen. Nehmen wir also an, Sie müßten die neunte Symphonie übertragen. Aber so, daß jeder Algerier ihren Sinn begreift. Ohne deutsch zu lernen. Wie würden Sie das Orchester aufstellen und den Chor, damit auch der letzte Fellache Gänsehaut bekommt. Machen Sie einen Vorschlag! Wie würden Sie das inszenieren?

Genfud starrte durchs Fenster. Aufs weite Meer hinaus. Jetzt war er wieder ein Stockfisch. Knöpfte sich mechanisch das Hemd zu. Begann zu schwitzen. Zog knackend an allen Fingern seiner Hand und sagte dann plötzlich mit veränderter Stimme:

– Haben Sie schon gehört von der »opération pierre précieuse«?

– Nein.

– Das war eine Strafexpedition gegen uns.

– Ich war nicht in Algerien während des Krieges.

– Kann ich mir vorstellen.

– Erzählen Sie weiter!

– Die Fallschirmjäger überfielen die Kabylei, weil sie von Fellagas verseucht war. Wissen Sie, was Fellagas sind?

– Heckenschützen, oder nicht?

– Wenigstens das wissen Sie.

– Und?

– Die kabylischen Dörfer sitzen ganz oben. Auf den Gipfeln der Berge. Wie Storchennester auf dem Minarett. Eines Tages kamen die Franzosen. Eine Wolke von grünen Heuschrecken mit Kanonen, Napalm, Raketen. Alles haben sie niedergebrannt und kaputtgeschlagen. Kein Haus ist stehen geblieben. Tausend Dörfer sprengten sie in die Luft. Und dann haben sie aufgeräumt. Mit Bayonetten und Maschinengewehren. Jeder wurde niedergemetzelt, der sich nicht ergeben wollte. Den Dorfältesten brannten sie die Augen aus. Mit glühenden Eisen.

– Und die neunte Symphonie, Monsieur Genfud?

– In einem gemordeten Dorf, in den Ruinen einer geschändeten Moschee, plaziere ich das Orchester. Die Sänger stelle ich an eine zerschossene Mauer. Einen neben den anderen. Mit verbundenen Augen. In zerfetzten Kleidern. Barfuß. Und ihnen gegenüber eine Truppe von Fallschirmjägern. Mit gezückten Pistolen und ...

Genfud verstummte. Schien sich an etwas zu erinnern. Schloß die Augen.

– Erzählen Sie, sagte ich mit trockener Zunge.

– Und dann würde die Musik einsetzen. Alle Instrumente. Und hundert Stimmen losbrüllen, gewaltig und hoffnungsvoll: Freude schöner Götterfunken Tochter aus Elysium.

Genfud war aufgenommen. Der erste Schüler unserer Schule. Und ich hoffte fest, daß er auch der erste Regisseur des künftigen Fernsehens würde.

Aber das künftige Fernsehen war vorläufig nur ein Projekt. Etwas mehr als ein Projekt, denn es stand da in seiner unübersehbar penetranten Pracht. An den blühenden Abhängen zwischen El Biar und dem Hafen. Etwa in der Mitte. Zweihundert Meter über dem Meer. Ein stolzer Bau aus Eisenbeton und Glas. Zwölf Stockwerke. Feudale Büros. Moderne Studios. Kameras, Regieräume, Schneidekabinen, Laboratorien. Und aus allen Fenstern ein unvergleichlicher Blick über die Bucht von Algier. Alles war da. Außer dem Personal. Es war vom Erdboden verschwunden. Hinweggespült von der Weltgeschichte. Sechshundert Personen hatten hier ein Fernsehprogramm gemacht, um die Köpfe der Eingeborenen zu manipulieren: Télévision Française, Studio d'Alger. Auf französisch wurde hier angesagt, abgesagt und durchgesagt. Auf französisch gesungen, getanzt, getingelt und getangelt. Sieben Jahre lang hatten sie die frohe Botschaft verkündet. Daß die Fellagas bereits geschlagen seien und sich nie wieder erheben würden. Bis das Unvorstellbare eintrat. Bis die Naturgesetze widerlegt wurden. Die Algerier kamen und besetzten Algier. Alles hatte man sich vorgestellt, nur das nicht. Ein Rechenfehler war unterlaufen, und eine Million Herrenmenschen wälzten sich zu den Häfen, Flugplätzen und Bahnhöfen, um der Vergeltung zu entgehen. Sie klapperten mit den Zähnen. Schlotterten vor Angst und schlechtem Gewissen. Besonders die sechshundert Gehirnwäscher von der Télévision Française. Sie drohten zurückzukehren und stießen Verwünschungen aus: Faulpelze sind das und Spitzbuben. In drei Monaten ersaufen sie in der eigenen Scheiße. Es wird keinen Strom mehr geben in Algier. Kein Wasser und kein Gas. In drei Monaten sind sie bankrott und werden uns anflehen wiederzukommen! So redeten sie alle. Auch Monsieur Bertholet, der glattrasierte Herr, der bis gestern noch Direktor des Studio d'Alger gewesen war; der Gauleiter dieser Fernsehstation. Aber im Gegensatz zu seinem Personal hatte er beschlossen dazubleiben. Auszuharren und zu warten, bis man ihn holen würde –

auf den Knien natürlich –, um die Zauberlaterne wieder anzudrehen. Seelenruhig saß er in seinem Salon und schlürfte Whisky, denn es war ein heißer Tag:

– Der Bildschirm wird schwarz bleiben, darauf könnt ihr Gift nehmen. Diese Buschneger wollen uns nicht? Bitteschön; aber aufs Fernsehen werden sie verzichten. Entweder *wir* senden oder niemand!

Während er so sprach, marschierten die Buschneger an seiner Villa vorbei. Schon am frühen Morgen hatte es angefangen und wollte nicht aufhören. Wie viele Fellagas gab es eigentlich? Eine Million? Zehn Millionen? Bertholet rieb sich vergnügt die Hände. Er war nicht bereit, das Debakel anzuerkennen: Sie haben eine Schlacht gewonnen, doch den Krieg gewinnen wir. Morgen. Vielleicht übermorgen. Wir haben Zeit und Geduld, denn wir sitzen an längeren Hebel. Heute abend werden sie ihre Kästen aufdrehen, und dann merken sie, daß wir nicht mehr da sind. Keine Franzosen, kein Fernsehen! Und dann kommen sie zur Besinnung, denn sie werden sich zu Tode langweilen mit ihrer läppischen Freiheit!

Berholet war sicher, daß es an jenem Abend kein Programm geben würde. Von den 600 Angestellten waren nur ein Dutzend geblieben: zwei subalterne

Beamte, ein tauber Kassierer, der bucklige Mersug, sieben Laufburschen und Moaki. Aber Moaki zählt nicht, der ist schwachsinnig.

In Wirklichkeit war Moaki der pfiffigste Schlawiner im ganzen Haus. Er hatte die Visage eines Hofnarren, der ständig lächelte, wenn man zu ihm sprach, und unterwürfig nickte, wenn man ihn beschimpfte. Niemand hätte geahnt, daß er ein Major der Befreiungsfront war. In engstem Kontakt mit dem Oberkommando. Beim Fernsehen war er gewöhnlicher Soldat. Assistent eines Filmcutters. Weniger als das. Der Zubringer eines Assistenten eines Filmcutters. Er wußte nichts von Elektronik. Theorie hatte ihn nie belastet. Dafür hatte er zugeschaut, wie man es macht, und sich alles gemerkt. Fast alles. Als die Soldaten der Volksarmee herannahten, erhielt Moaki den Befehl, um jeden Preis den Sender in Bewegung zu setzen und ein Programm auf die Beine zu stellen. Heute abend um sieben Uhr. Koste es, was es wolle! Das war eine Fieberphantasie, kein Befehl. Das war vollkommen undurchführbar. Ohne Ingenieure, ohne Techniker, ohne Programmleute, Kameramänner und Sprecher macht man keine Sendung. Das gibt es nicht. Das Oberkommando hätte ebensogut befehlen können, zu Ehren des historischen Augenblicks eine bemannte Rakete auf den

Mond zu schießen. Doch an jenem Tage war die Schwerkraft aufgehoben. Alles war möglich, und Moaki überlegte, wie er den Befehl ausführen sollte: die Franzosen haben abgeschaltet, spekulierte er, also kann man auch anschalten. Aber welchen Knopf? Es gab schließlich Tausende von Knöpfen. Wenn ich den richtigen finde, geht das Licht wieder an und der Sender funktioniert. Und was passiert, wenn ich den falschen andrehe? Vielleicht fliegt die ganze Station in die Luft und ich selber dazu. Was soll ich tun? Moaki kratzte sich am Schädel und kniff die Lippen aufeinander. Man mußte es versuchen. Im schlimmsten Fall komme ich in den Himmel, sagte er und machte sich auf den Weg. Es war fünf Uhr nachmittags, als er in den zentralen Schaltraum trat und in totaler Finsternis sämtliche Knöpfe andrehte. Fieberhaft, einen nach dem andern, bis plötzlich ein Blitz die Dunkelheit durchzuckte. Grüne Lampen gingen an. Ventilatoren begannen zu knurren. Neonlichter flackerten auf. Das war unglaublich. Moaki hatte das Fernsehen repariert. Einfach so. Wie man einen alten Strumpf repariert. Die Station war sendebereit, es fehlte nur noch ein Programm. Eine Kleinigkeit. Doch da kam ihm der Einfall seines Lebens. Er schickte die sieben Laufburschen in die Stadt und befahl ihnen, das Volk von

Algier ins Studio zu rufen. So wie es war. Mit Trommeln und Fahnen und explodierenden Herzen. Er sperrte die Tore weit auf, und gegen sechs Uhr abends begann die gewaltigste Reportage aller Zeiten. Hunderttausende strömten den Berg hinauf. Der Fernsehstation entgegen, die sieben Jahre lang Symbol der französischen Herrschaft gewesen war. Johlend zogen sie durch die Korridore, in die Studios, wo alle Kameras eingeschaltet waren, alle Scheinwerfer und Mikrophone, und einfach registrierten, was sich hier abspielte. Das war eine Science-fiction von nie dagewesenem Ausmaß. Ein Gespensterstudio ohne Belegschaft. Keine Kameraleute, keine Aufnahmeleiter, keine Kabelträger. Nur ein einziges Männlein, der bucklige Mersug – Tontechniker von Beruf –, der aussah wie ein Abgesandter vom Jupiter. Er trug einen Kopfhörer über den Ohren und führte wortlos die Befehle aus, die Moaki übers Interkom erteilte. Moaki saß oben in der Regie. Gott auf Cap Canaveral. Ein riesiges Mischpult vor sich und eine Gegensprechanlage. Vor ihm standen 12 Monitoren, die auf 12 Kanälen Bilder übertrugen, Zeugnis ablegten von diesem überbrodelnden Umzug, dieser tobenden Demonstration beglückter Zügellosigkeit und überspannter Illusionen. Das war die Anarchie. Die Freiheit einer Nacht. Die Mikrophone waren offen. Der Sender funktionierte. Eine Sendung ging über die Antenne, wie sie nie zuvor gesehen worden war. Und niemals nachher. Legionen zogen vorbei. Männer, Frauen und Kinder. Ein jubelndes Lumpengesindel. Die besten Schauspieler aller Zeiten, denn sie stellten sich nicht zur Schau. Sie wußten nicht einmal, daß sie von 12 Kameras beobachtet wurden. Sie brüllten ihre Freude in die Luft. Sie lachten und weinten und umarmten sich. Marschierten, hinkten, hüpften. Schrien, sangen, trompeteten, und in ihren Augen glänzte der Glaube, daß es keine Schwerkraft mehr geben werde. Nie wieder!

Ich sagte es bereits, das war die Reportage aller Zeiten. Ohne Regisseur, ohne Reporter, ohne Hilfspersonal. Keine Organisation. Nichts als der Ausbruch ausgelassenen Wahnsinns. Und was das erstaunlichste war, es gab keine Zuschauer. Alle waren Akteure. An diesem Tage waren alle auf der Straße, die den Krieg überlebt hatten. Der Taumel wogte durch die Eingangspforte herein und durch die Ausgangspforte hinaus. Wenn jemand zuschaute, waren es Ausnahmen. Lahme, Kranke, Einbeinige und natürlich Monsieur Bertholet. Um sieben Uhr drehte er seinen Kasten an – mechanisch, wie er es jeden Abend getan hatte, um die Tagesschau zu kontrollieren – und natürlich wußte er, daß es keine Sendung mehr geben würde. Diese Genugtuung wollte er sich nicht nehmen lassen: ein schwarzer Bildschirm. Trauerflor zum Abschied. Die wohlverdiente Strafe für die Undankbarkeit. Man mag uns nicht. Man will auslöschen, was wir hier geschaffen haben, während 130 Jahren, als sei nichts gewesen. Das dachte der glattrasierte Herr, als er einschaltete und ein Bild gewahrte. Er traute seinen Augen nicht. Er sah ein Feuerwerk von Bildern, eine Superreportage, wie sie die besten Fachleute der Welt nicht hätten machen können. Er starrte in den Flimmerschirm, wurde schwach und fiel vom Stuhl. Sein Grab befindet sich auf dem katholischen Friedhof von El Biar.

Das Ereignis dauerte 14 Stunden. Gegen 8 Uhr des nächsten Morgens gab es einen Knall, und die Apparaturen setzten aus. Schluß. Kein Licht mehr. Kein Strom. Etwas mußte geplatzt sein. Eine Panne. Moaki rannte durch die Kellerflucht. In den zentralen Schaltraum, wo es wieder finster geworden war. Er drehte an sämtlichen Knöpfen. Vergeblich.

Seither gab es kein Fernsehen mehr in Algerien. Wenigstens eine Zeitlang. Während einiger Wochen fummelte Moaki an allen Kontakten herum. Er hämmerte mit den Fäusten auf die Apparate. Boxte in die Verschalung der Generatoren. Ohne Erfolg. Sendestörung auf der ganzen Linie, und es war niemand da, der hätte helfen können. Die Welt ging nicht unter, wie es der arme Berholet – Gott habe ihn selig – erhofft hatte. Es gab wichtigere Probleme, und nichts geschah. Oder fast nichts. Man ließ einige Leute kommen, aus dem Ausland, um sich mit der Angelegenheit zu befassen. Es tröpfelten Ingenieure herbei und Elektroniker. Filmregisseure und Kameraleute. Auch ich war darunter und wurde gebeten, eine Fernsehschule aufzubauen. Mit drei algerischen Kollegen: Hossein, Kersabi und Dschaffar. Wir waren beauftragt, Programmleute heranzubilden. Man gab uns weder Geld noch Lehrmittel, hatte weder das eine noch das andere. Dafür ein paar wohlgemeinte Ratschläge und Berge von Vertrauen. Das konnten wir brauchen, denn die Aufgabe war theoretisch unlösbar. Einige Schüler hatten Talent, aber konnten nicht lesen. Die anderen konnten lesen, aber hatten kein Talent. Das war eine Gratwanderung. Sie dauerte zwei Jahre, und am 1. Juli 1965 fand endlich die Abschlußprüfung statt. Vier Lehrer. Zwanzig Schüler. Drei Schülerinnen. Die älteste hieß Fatima. Sie war hinreißend. Wer sie sah, war bezaubert, ob Schüler oder Lehrer. Sie schien verwegen und war doch unnahbar. Niemand bekam sie, nicht einmal Hossein, der sonst unweigerlich sein Ziel erreichte. Sie war von wunderbarer Unschuld, und doch spürten wir, daß sie kein Mädchen mehr war. Ein Mädchen hat nicht diese Kraft, diese Würde in Gang und Bewegung. Wer mochte sie sein?

Am 1. Juli flimmerte ein dampfiges Licht über den Dächern. Es roch nach Oliven, nach Jasmin, nach Liebe. Um neun Uhr begann ich das Examen mit einer Prüfung in Dramaturgie. Die Aufgabe war einfach. Jeder Student hatte eine Geschichte zu erzählen. Mündlich. In Anwesenheit aller anderen. Eine Filmnovelle zum Thema »ein Niemand«. Die Ergebnisse waren mäßig. Alle hatten etwas zu berichten, die Geschichten aber ließen mich kalt. Keiner holte mich aus meinem Halbschlaf. Bis Genfud erschien. Er war der Zwanzigste, der letzte von den Männern. Und schon bei seinen ersten Worten wachte ich auf. Er stand vor der Klasse, blickte auf seine Fingernägel und begann:

Ich erzähle euch die Geschichte von einem »Niemand« namens Gaschgaj, der so häßlich war wie ich. Und der niemals die Haut einer Frau gespürt hat. Wie ich. Er dachte immer nur an die Zärtlichkeit, die ihm niemand geben wollte. Er war mir überhaupt sehr ähnlich. Fischaugen hatte er und einen Ziegenkopf. Er wohnte in der Khasba. Mit seinem Köter. In einem Bretterverschlag. Sein Brot verdiente er als Kesselflicker. Er besaß nichts. Wie ich. Nur einen verbeulten Kinderwagen, den er vor sich herschubste, wenn er durch die Gassen zog. Er lächelte unentwegt. Vom Morgen bis zum Abend. Einfach so. Oder vielleicht aus Angst. Ich weiß es nicht. Wenn er irgendwo auftauchte, krähte er seinen Namen – Gaschgaaaj –, und die Weiber liefen herbei. Mit Pfannen und Töpfen und billigem Geschirr. Er hatte eine lächerliche Stimme. Und er druckste und stotterte, wenn er mit den Frauen sprach. Aber sie antworteten kurz und böse. Sie schauten weg, wenn sie ihn bezahlten. Manchmal schenkte er ihnen eine Blume. Da drehten sie sich ab und spuckten aus. Eines Abends, das war vor fünf Jahren, rief der Muezzin vom Minarett. Gaschgaj warf sich auf die Knie, wie immer, um sein Gebet zu verrichten. Da kamen die Kinder vom Hafen zurück und hatten Fischköpfe in den Händen. Wie sie ihn sahen, mit seinem Teppich mitten auf der Gasse, ergriffen sie die Gelegenheit und fingen an, ihn zu bewerfen. Seebutt, Dorsch, Flunder, Goldbarsch; aber Gaschgaj war versenkt in seine Andacht und ließ sich nicht stören. Er wußte sich in Gottes Hand und betete weiter. Als er geendet hatte, nahm er seinen

Teppich, legte ihn auf sein Wägelchen und kehrte nach Hause zurück.

Am nächsten Morgen stand er wieder da. Vor der großen Moschee, und flickte einen Zuber. Er hämmerte und grinste. Hinter dem Brunnen lauerten schon die Kinder. Plötzlich, als niemand hinschaute, schossen sie hervor. Wie ein Schwarm von Stechfliegen. Sie packten seinen Karren und flitzten davon. Er hatte sein Gerät darin. Ein paar Kupferkannen und etwas Geld. Die Kinder johlten fort, und Gaschgaj hastete ihnen nach. Plattfüßig wie eine Ente. Er war zu langsam, natürlich, und konnte sie nicht einholen. Sie rannten die Gasse hinunter, um eine Ecke, und durch die blaue Pforte ins Frauenviertel hinüber. Gaschgaj sah gerade noch, wie sie in einem Hausgang verschwanden. Dann wurde es still. Er stolperte weiter durch ein Eisentor und unvermittelt stand er vor einem Haufen halbnackter Mädchen. Alte und junge, dicke und magere, die ihre Röcke hochhoben, den Hintern zeigten und die Brüste und ihn heranlockten. Er war außer Atem. Keuchte und schielte zur Seite. Da erspähte er seinen Wagen. Er zitterte am ganzen Körper. Zögerte einen Augenblick. Plötzlich stürzte er los, griff zu und lief davon. Die Dirnen fluchten ihm nach, er sei ein

Schlappschwanz, ein faules Ei, eine weiche Rübe. Aber Gaschgaj schaute nicht zurück. Er schluchzte.

Am darauffolgenden Sonntag ging er auf den Markt. Zuerst suchte er Layachy, den Zahnausreißer. Als er ihn fand, bat er um vier Eckzähne, und zwar aus Gold. Zwei oben. Zwei unten. Layachy befahl ihm, Platz zu nehmen und das Maul aufzusperren. Das Volk gaffte, und einer rief, er kenne einen Ziegenbock, der hätte sich Goldzähne einsetzen lassen und sei Opernsänger geworden. Die Leute bogen sich vor Lachen, aber Gaschgaj tat, als höre er nichts. Im Gegenteil. Er betrachtete sich im Spiegel, gab Layachy seinen Lohn und schien zufrieden. Darauf ging er zu einem Juden und kaufte eine Kopfbedeckung. Einen violetten Sombrero aus Spanien. Zog ihn an und stelzte weiter. Er betrat auch den Laden eines Schusters, suchte lang und wählte schließlich ein Paar rote Pantoffel. So stolzierte er durch die Menge und kaufte noch einen Sack voll Feigen. Reife Früchte aus der Mitidscha, und selbstbewußt kehrte er in sein Viertel zurück. Jetzt hoffte er, mit Respekt empfangen zu werden. In seiner Gasse saßen die Kinder. Im Staub hockten sie und spielten Karten. Wie immer. Sie merkten nicht einmal, daß da jemand kam. Da beugte sich Gaschgaj zu einem von ihnen. Lächelte. Zeigte die goldenen

Eckzähne und verteilte die Feigen, die er mitgebracht hatte. Da erkannten sie ihn, den Mabul mit dem Ziegenkopf. Den »Niemand« aus der Bretterbude. Ein Geschrei brach los. Eine Meute von drekkigen Bengeln bildete einen Kreis um ihn, und das Schützenfest konnte beginnen. Sie schossen die Feigen auf ihn ab, bis er aufheulte vor Schmerz und Scham und die Flucht ergriff.

Gaschgaj rannte, flog buchstäblich durch die Khasba, stürzte zu Boden. Erhob sich von neuem. Kam in die Stadt hinunter und plötzlich schrillte eine Pfeife. Eine Polizeipfeife. Französische Militärgendarmen. Militärgendarmen sind gescheite Leute. Wenn jemand flüchtet, hat er ein schlechtes Gewissen, logisch! Für Polizisten ist alles logisch. Der muß etwas verbrochen haben. Ein Fellaga, wahrscheinlich, oder so etwas ähnliches. Eine Verfolgungsjagd begann. Und zuletzt hatten sie ihn erwischt, den »Terroristen« mit dem violetten Sombrero, mit den vergoldeten Eckzähnen, mit den roten Pantoffeln und von Feigen beschmiert. Pressefotografen eilten herbei. Am nächsten Morgen prangte sein Bild in allen Zeitungen.

Gaschgaj wurde gefoltert. Man wollte ein Geständnis von ihm. Daß er seine Komplizen nenne. Er schwieg, denn er hatte keine Komplizen. Wenn er sie gehabt hätte, würde er sie genannt haben. Laut und stolz. Aber das war ja sein Unglück. Er war ein »Niemand«. Allein wie ein Hund im Bretterverschlag. Man tauchte seinen Kopf in Latrinenwasser, bis er fast erstickte. Man klemmte ihm Aluminiumklammern an die Hoden und elektrisierte ihn. Er schrie. Er hatte nichts zu gestehen. Er besaß weder Komplizen noch Freunde, noch Genossen. Am dritten Tag ließ man ihn laufen, weil man einsah, daß er ein Idiot war. Kannst gehen, sagte der Sergeant. Aber paß auf! Das nächste Mal schlagen wir dich tot.

Gaschgaj schleppte sich durch die Straßen. Goldzähne, Sombrero, Pantoffeln, Blutschrammen im Gesicht. Er lächelte nicht mehr. Er war geworden wie alle anderen.

Starr humpelte er übers Pflaster und kam in die Khasba. Seine Augen unbeweglich. Wie aus Glas. Zuerst erkannte man ihn nicht. Die Leute liefen herbei. Begrüßten ihn voller Ehrfurcht, verbeugten sich, verschränkten die Hände über der Brust. Man wußte, woher er kam und was er erlitten hatte. Sie sprachen zu ihm, doch er gab keine Antwort. Er schlich weiter. Bis zu seiner Tür, wo der Hund ihm entgegenkläffte. Halb tot. Drei Tage lang hatte er nichts zu fressen bekommen. Gaschgaj nahm ihn auf den Arm. Streichelte ihm das Fell und drehte ihm den Hals um. Der Köter heulte auf und sackte zusammen. Gaschgaj ließ ihn liegen. Dann sammelte er seine Sachen zusammen, verließ den Raum, schloß ab, steckte den Schlüssel in sein Bündel und ging. Zum Meer hinunter, um nie wiederzukehren. Die Küste entlang. Es war Nacht. Er beeilte sich nicht, hinkte vorwärts und hob den Kopf zum Himmel, der schon silbrig wurde. Als es dämmerte, kam er nach Ras el Maasa. Vielleicht kein Zufall. Das heißt Ziegenkopf, und hier will er seinen Weg beenden. Er humpelt zum Strand hinunter. Weit und breit kein Mensch. Er knüpft sein Bündel auf und legt seinen Besitz in den Sand. Säuberlich. Den Schlüssel, ein Messer, zwei Silbermünzen und eine Taschenuhr, die längst nicht mehr läuft. Dann zieht er sich aus. Auch die Kleider legt er auf den Boden. Den Sombrero, die Hosen, die Pantoffeln. Pedantisch. Ein Stück neben das andere. Er tritt ins Wasser, und die Sonne geht auf am Horizont. Er watet vorwärts. Er will sterben. Zum letzten Mal schwillt sein Fleisch, er umspannt es mit der Hand, knetet es langsam und feierlich, während er tiefer in die Fluten schreitet. Jetzt bleibt er stehen. Einen Augenblick lang. Er hebt die Fäuste. Er schüttelt sie und stößt einen Schrei aus, »Gaschgaaaj«, den Erkennungsruf für die Weiber. Dann rudert er vorwärts.

Das Wasser reicht ihm bis zur Brust, bis zum Hals. Dann rollt eine Welle heran ...

Wir hatten vergessen, wo wir uns befanden. Und dann geschah das Unerwartete. Fatima sprang auf, sie zitterte und bebte und flehte:

– Komm zurück, Genfud. Ich liebe dich.

Hier ist meine Geschichte zu Ende. Aber sie hat noch ein Nachspiel, das ich erzählen muß, denn es beweist ... es beweist gar nichts.

Es geschah zwei Monate später, Anfang September, als wir den Schülern das Diplom überreichten, im Hauptsaal unserer Schule, Hossein, Kersabi, Dschaffar und ich. Wir waren erregt und in festlicher Stimmung, denn wir promovierten die erste Generation algerischer Fernsehschaffender. Wir saßen hinter einem Tisch, und jeder, der eintrat, händigte uns seine Dokumente aus: Leumundsnachweis, ärztliches Zeugnis, Heimatschein, und dafür bekam er sein Berufspatent. Genfud wußte sich zu exponieren. Schon bei der Aufnahmeprüfung war er als Erster hereingekommen. Heute als Letzter. Er war mein bester Schüler, mein Stolz, mein lebender Beweis gegen die Schwerkraft. Er stellte sich vor mich hin, blickte durch mich hindurch und reichte mir seine Papiere. Schon wollte ich aufstehen, ihm gratulieren, eine Rede halten, als er sagte:

– Das ärztliche Zeugnis fehlt, Monsieur.

– Warum?

– Weil ich es nicht habe.

– Aber Sie waren doch beim Arzt, oder nicht?

– Ja.

– Und Sie haben kein Zeugnis?

– Nein.

– Sind Sie krank, oder was haben Sie?

– Den Schanker, Monsieur. Den harten Schanker.

Wir saßen da und starrten ihn an.

– Waren Sie im Bordell?

– Nein. Fatima war im Bordell. Drei Jahre lang.

Es verschlug uns die Sprache.

– Sie kommt aus feiner Familie. Mit Silbergeschirr und Teppichen. Wo man französisch spricht und Bücher liest. Zwingen wollte man sie, ihren Onkel zu heiraten, einen Viehhändler aus Biskra. Den Bruder des Vaters. Vierzig Jahre älter als sie und ekelhaft wie eine Warze. Man hat sie aus dem Haus gejagt. Mitten im Krieg. Einen Beruf hatte sie nicht. Sie mußte essen.

– Wußten Sie, daß Fatima krank ist?

– Sie hat es mir gesagt. In unserer ersten Nacht.

– Und was werdet ihr tun mit eurer Syphilis?

– Leben, Monsieur!

Frau Zaui

Sie trug einen Schleier. Allah allein weiß warum. Ich werde nie erraten, was hinter ihrem Schleier vorging. Die Frauen von Algier begannen sich zu befreien. Sie wollten ihren Männern nicht mehr gehorchen, fingen an, aufrecht zu gehen, mit bloßem Antlitz. Die lange Nacht war vorbei. Frau Zaui dachte anders. Sie dachte viel, nehme ich an, und sprach wenig. Nur hin und wieder machte sie eine Bemerkung, kurz und scharf, aber jedesmal traf sie mich. Einmal schaute sie zum Fenster hinaus und erklärte unvermittelt:

– Wer den Schleier ablegt, hat nichts zu verbergen.

– Und, fragte ich, was haben denn *Sie* zu verbergen?

– Mich! Das ist alles, was ich besitze.

Ihr Mann war tot. Die Fallschirmjäger waren in sein Haus eingedrungen, hatten die Wohnung durchsucht und drei Maschinengewehre gefunden. Sie nahmen ihn mit, in die berüchtigte Salpetrière, folterten ihn fünf Tage lang, doch er schwieg. Wenn er gesprochen hätte, würde er heute noch leben. Am sechsten Tag erschossen sie ihn. Sie benachrichtigten seine Familie und verscharrten den Leichnam.

Jetzt ist Algerien ein unabhängiges Land. Frau Zaui ist die Witwe eines Märtyrers, eines sogenannten Schahid. Sie bekommt eine Rente, von der sie weder leben noch sterben kann. Oft erkundigte ich mich nach ihrem Mann. Sie gab nur flüchtige Antworten. Einmal ging ich gerade auf mein Ziel los und fragte:

– Haben Sie ihn geliebt?

– Ich hatte mich gewöhnt an ihn. Es gibt Männer, an die ich mich nie gewöhnt hätte.

– Sie haben vier Kinder von ihm.

– Die Kinder habe ich vom lieben Gott. Mein Mann hat mit mir geschlafen, um sein Vergnügen zu haben.

– Ist das schlecht?

– Gott wird ihn beurteilen.

Ihr ältester Sohn hieß Mohammed. Sie zitterte um ihn. Tag und Nacht. Betete, daß etwas werde aus ihm. Ein Lehrer oder Apotheker. Einmal kam sie zu spät zur Arbeit. Sie hatte ein blaues Auge, blutunterlaufen und geschwollen. Was ist passiert, wollte ich wissen, wer hat Sie geschlagen?

– Mein Sohn Mohammed. Er kann sich nicht beherrschen.

– Er ist noch ein Kind, Frau Zaui. Er muß sich beherrschen.

– Er ist ein Mann. Männer machen, was sie wollen.

– Ist das gut?

– Gott wird ihn beurteilen. Ich bin seine Mutter.

Und dann erzählte sie. Der Postbote hatte geläutet. Er brachte ein Paket. Sie lief zur Türe, ohne den Schleier umzubinden. Da schlug Mohammed sie ins Gesicht, daß sie gegen die Wand stürzte. – Meine Mutter ist keine Hure, zischte der Junge, verhülle dich, wenn du aufsperrst!

Hanka, meine Frau, hatte mit halbem Ohr zugehört. Jetzt schaute sie auf von ihrem Buch und sagte:

– Wenn mich mein Sohn ins Gesicht schlüge, würde ich ihn umbringen.

– Du hast keinen Sohn, erwiderte Frau Zaui, du weißt nicht, wovon du redest!

Sie ahnte nicht, daß Hanka ein Kind erwartete. Oder vielleicht ahnte sie es, denn sie hatte einen sechsten Sinn.

Frau Zaui fürchtete Gott. Fürchten ist nicht das richtige Wort, denn sie fürchtete niemand. Sie glaubte einfach. An die Gesetze des Islam, die sie befolgte, nach dem Geist und dem Buchstaben. Kersabi pflegte bei uns zu essen. Weil wir Freunde waren und weil es bei uns verbotene Sachen gab, Schweinefleisch und Schinken, Wein und Wodka. Er hatte in Berlin seine Studien absolviert und die letzten Hemmungen verloren. Er trug einen Schnurrbart, der bis zum Kinn herunterhing. Er spähte mit kurzsichtig-blitzenden Äuglein durch seine Gläser und sah aus wie ein bebrilltes Walroß. Er verpaßte keine Gelegenheit, Gott zu lästern, besonders in Anwesenheit von Frau Zaui. Nie hätte sie gewagt, ihm offen zu widersprechen, denn er war schließlich ein Mann, ein Gebildeter. Und dazu stammte er aus Tlemcen, einer heiligen Stadt im Westen des Landes. Vielleicht meinte er es gar nicht so bös. Vielleicht wollte er sie nur prüfen und feststellen, wie treu sie zu ihrem Glauben hielt. Andererseits konnte sie sehen, jeden Tag und mit eigenen Augen, daß er mutwillig die Vorschriften verletzte. Als würdige Tochter des Propheten mußte sie aufstehen gegen die Sünde. Als Frau hingegen hatte sie ihm zu gehorchen. Sie löste den Knoten auf ihre eigene Weise. Hartnäckig deckte sie den Tisch nur für zwei Personen. Für Hanka und mich, denn wir durften essen, was wir wollten, trinken, was uns Spaß machte. Für Frau Zaui waren wir Heiden, gute Heiden, wie sie immer wieder zu unterstreichen pflegte, aber Heiden. Sie schloß uns in ihre Gebete ein und war überzeugt, daß wir am Ende doch noch den richtigen Weg einschlagen würden. Auch für Kersabi betete sie, denn er half ihr, wo er nur konnte. Er war freundlich zu ihr und hatte überhaupt ein gutes Herz. Nur mit der Religion stand er auf Kriegsfuß.

Jeden Tag sprach sie mit dem Allmächtigen und leistete Fürbitte für den Sünder, dem sie insgeheim die ewige Seligkeit wünschte. Aber sie lehnte es ab, ihm verbotene Speisen vorzusetzen. Nicht daß sie es ausgeprochen hätte, doch sie tat es einfach nicht. Dafür deckte sie für ihn, wenn sie den Kuskus servierte, oder Spezialitäten aus Tlemcen. Huhn auf kandierten Zitronen. Pastilla mit gehackten Turteltauben oder zart gebratenen Meschui. Dann stellte sie ihm sogar besonders feines Geschirr hin, damit er sich ergötzte an den Köstlichkeiten der traditionellen Küche und zurückkehrte zum wahren Glauben seiner Vorfahren. Aber Kersabi war ein undankbarer Gast. Er vergalt ihre Aufmerksamkeit mit frechen Reden:

– Ein Festessen ohne einen Trunk, sagte er, ist wie eine Frau ohne Brüste. Warum bekomme ich nichts zu trinken?

Frau Zaui stellte sich dumm und brachte Mineralwasser auf den Tisch. Doch Kersabi soff unbekümmert aus unserer Flasche, wobei er ihr listig zuzwinkerte:

– Was fürchtest du eigentlich Gott? Du bist doch sonst nicht so furchtsam.

– Ich bete zu ihm, weil er im Himmel ist.

– Der ist weit weg von hier, erwiderte Kersabi.

– Eben darum. Er ist weniger gefährlich als eure Götzen, die auf Erden regieren und euch blöd machen mit ihrem Geschwätz.

– Mag sein. Aber warum fürchtest du deinen Sohn Mohammed? Der ist nicht im Himmel, sondern in deiner Wohnung. Und verprügelt dich, wenn er Lust hat.

– Das ist nicht das gleiche. Mein Sohn Mohammed ist Fleisch von meinem Fleische. Ich fürchte ihn nicht, aber ich liebe ihn. Wie mich selbst. Liebt ihr eure Götzen?

Es war nicht einfach, mit ihr zu streiten. Weil sie versöhnlich war und von heiterer Gemütsart. Und was sie sagte, hatte Sinn. Einen merkwürdigen Sinn, der einer fremden Logik entsprang. Einer anderen Mathematik, die uns unzugänglich schien. Wir hörten nie auf, für unser Denksystem zu werben. Wir meinten, in unserer Überheblichkeit, sie würde glücklicher werden, wenn sie nach unserer Arithmetik rechnete. Meine Mutter zum Beispiel. Meine Mutter ist überzeugt, daß zwei mal zwei vier ist. Sie ist bereit, dafür zu leiden. Zu missionieren für die Wahrheit des kleinen Einmaleins. Sie war nach Algerien gekommen, um uns einen Besuch abzustatten. Kaum war sie da, hatte sie sich in den Kopf gesetzt, Frau Zaui für ihre Grundsätze zu gewinnen. Für den Fortschritt und die Emanzipation des Menschen. Eine moderne Frau wollte sie machen aus unserer Haushälterin. Einen würdigen Bürger des zwanzigsten Jahrhunderts. Das Kräfteverhältnis betrug nun vier zu eins: Hanka, meine Mutter, Kersabi und ich. Gegen eine arme Witwe, die weder lesen konnte noch schreiben. Eines Abends saßen wir auf der Terrasse und blickten übers weite Meer hinaus. Da fragte Frau Zaui meine Mutter:

– Warum willst du, daß ich so denke wie du?

– Sie sind Ihr ganzes Leben lang gedemütigt worden. Ich möchte, daß Sie endlich besser leben.

– Habe ich schlecht gelebt?

– Man hat Sie behandelt wie einen Hund. Das muß sich ändern!

– Wann?

– Morgen, wenn Sie endlich lernen, sich zu wehren.

– Morgen, erwiderte Frau Zaui mit einem verächtlichen Lächeln, bei uns sagt man, daß morgen schlechter ist als heute.

– Bei uns sagt man »kommt Zeit, kommt Rat«, entgegnete meine Mutter.

Das bedeutet, daß man vorwärts schauen soll und nicht zurück.

– Ich weiß nur eines, Madame. Und zwar, daß ich morgen älter bin als heute. Und übermorgen kommt der Tod.

Wir redeten aneinander vorbei. Zwei verschiedene Sprachen. Unsere Argumente waren zwar vernünftig, aber Frau Zaui überzeugten sie nicht. Seit Kindesbeinen lernen wir, jedes Ereignis auf seine Ursache zurückzuführen. Nach dem »Warum« zu fragen. Wir verwenden das Allerheilswörtchen »weil« und meinen damit das Leben zu durchschauen. Es regnet, weil Wolken am Himmel hängen. Das Wasser siedet, weil es erhitzt wurde. Dieser Mensch ist glücklich, weil er genug zu essen hat.

– Woher weißt du das? gab sie zurück, hungrige Leute können glücklicher sein als satte. Und wenn sich jemand überfrißt, hat er Bauchschmerzen und muß sich ins Bett legen. Laßt mich doch in Ruhe mit eurem ewigen »weil«!

Frau Zaui anerkannte keine Ursächlichkeiten. Umgekehrt. Sie wurde reizbar, manchmal sogar böse, wenn wir versuchten, die Welt zu erklären. Gottes Welt ist so, wie sie ist, und daran gibt es nichts zu deuteln. Einmal kam Kersabi und wollte sie aufs Glatteis führen:

– Glaubst du, ich komme ins Paradies?

– In die Hölle kommst du, und zwar je schneller desto besser.

– Das kannst du doch nicht ernst meinen.

– Doch, sagte Frau Zaui mit einem unmerklichen Lächeln, weil du ein Unhold bist, weil du die Gesetze mißachtest und die Religion verhöhnst.

– Weil ich ein Unhold bin, behauptest du, weil ich die Gesetze mißachte. Weil ich die Religion verhöhne. Du bist auch nicht besser als wir. Jedes zweite Wort heißt bei dir weil.

Frau Zaui runzelte die Stirn und suchte nach einer Antwort. Der Schnurrbart hatte sie aus dem Gleichgewicht gebracht. Sein Argument war nicht zu widerlegen. Darum kicherte sie in sich hinein und erwiderte:

– Mein *weil* ist gut und deines ist schlecht.

– Wie willst du das denn beweisen?

– Weil ich zu Gott bete und du zu deinen Götzen, die uns herumkommandieren und uns behandeln wie Dreck unter der Sohle. Das ist ein Unterschied.

Die theologischen Streitgespräche zwischen Kersabi und Frau Zaui waren endlos. Sie glichen einem Fortsetzungsroman, der immer dann abgebrochen wird, wenn sich eine Lösung abzeichnet. Diesmal verkündete der Schnurrbart, er komme so oder so in den Himmel.

– Wenn das wahr ist, backe ich dir einen Kuchen.

– Es *ist* wahr, und du backst mir einen Kuchen. Mit Rum und mit Schlagsahne.

– Mit Schlagsahne ja; aber ohne Rum. Und jetzt erkläre mir, warum du so oder so in den Himmel kommst.

– Weil ich in Tlemcen geboren bin. Tlemcen ist eine heilige Stadt. Also bin ich ein Heiliger.

– Ich kenne eine Hure, die heißt Leila und wohnt in meinem Haus, die kommt auch aus Tlemcen und ist bestimmt keine Heilige.

– Ich bin keine Hure und heiße nicht Leila. Wenn ich spüre, daß der Tod kommt, setze ich mich in ein Flugzeug und fliege nach Mekka. Dort wasche ich alle Sünden von der Seele und werde ein Hadsch.

– Du wirst niemals ein Hadsch.

– Ich werde ein Hadsch, und jeder Hadsch kommt in den Himmel.

– Dein Flugzeug stürzt ab, bevor du in Mekka landest.

– Du sollst nicht wahrsagen, heißt es in der Schrift.

– Und trotzdem stürzt es ab, denn Allah kann nicht zulassen, daß ihm ein Ungläubiger den Himmel versaut.

Kurz darauf begann der Fastenmonat. Die frommen Moslem hungerten. Vier Wochen lang. Von der Morgendämmerung bis zum Aufgehen des ersten Sterns. Frau Zaui befolgte alle Vorschriften und biß tapfer die Zähne aufeinander, wenn sie uns die Mahlzeiten vorbereiten mußte. Nur eines war ihr unerträglich. Daß Schnurrbart mittafelte. Unverfroren, als hätte er nie etwas gehört vom heiligen Monat Ramadan. Eines Tages trat meine Mutter ins Studierzimmer und teilte mir flüsternd mit, sie habe eine bedenkliche Beobachtung gemacht. Frau Zaui schneide sich die Fingernägel und verbrenne sie.

– Ich habe schon Schlimmeres gehört.

– Die Asche ihrer Fingernägel mischt sie ins Mehl.

– Das glaube ich nicht.

– Ins Mehl mischt sie die Asche und macht daraus Kuchen.

– Für wen?

– Für Kersabi, soviel ich weiß, um ihn zu bekehren.

– Das ist nicht besonders appetitlich.

– Nicht besonders appetitlich? Ekelhaft ist das. Man muß ihr das verbieten. Sie kann doch nicht ihre Perversitäten an uns ausprobieren!

Hanka führte ein ernsthaftes Gespräch mit ihr. Frau Zaui mußte sich verpflichten, keine Zauberkünste mehr zu treiben, sonst werde sie entlassen. Sie verpflichtete sich. Dann wurde sie einsilbig. Die gute Stimmung im Haus war zum Teufel; doch die erste Runde hatten wir gewonnen. Nicht wir persönlich, aber unsere Sache. Der gesunde Menschenverstand. Der Fortschritt. Das wissenschaftliche Weltbild und so weiter. Daß wir etwas eingebüßt hatten, merkten wir erst später. Vorläufig waren wir stolz auf unseren Erfolg. Kersabi war vielleicht etwas nachdenklich; sagte jedoch nicht warum.

Die ganze Angelegenheit war natürlich grotesk. Wir glaubten nicht an Zauberei oder behaupteten es wenigstens. Wir waren überzeugt, daß nur natürliche Kräfte unser Dasein bestimmen. Zugegeben. Man kann jemanden beeinflussen oder bekehren oder von seinem Weg abbringen. Aber nicht durch das Verbrennen von Fingernägeln. Das wäre ja Hexerei. Gewöhnlicher Animismus. Diese Frau stellte sich vor, daß sie mit der Asche ihrer Fingernägel einen Teil ihrer Person in den Kuchenteig mischte. Ein

Fragment ihrer Seele. Das war prähistorischer Unsinn. Heidnischer Aberglauben; daran gab es überhaupt keinen Zweifel. Wovor also hatten wir Angst? Woher kam unser panisches Mißbehagen? Fürchteten wir, in den Bannkreis dieser Hexe zu geraten? Ihren Kunststücken zum Opfer zu fallen? Das war doch lächerlich! Ein Widerspruch in sich. Man glaubt an die Wissenschaft oder an Wunder. Ich glaubte an die Wissenschaft. Sogar in Aufus, wo ich fünf Jahre vorher gewesen war, ließ ich mich nicht ins Bockshorn jagen. Das liegt im östlichen Tafilalet, und ich war dort zu einer Zeit, als der Anblick einer Uhr die Eingeborenen noch in Todesangst versetzte. Eine biblische Dürre suchte damals jene Landstriche heim. Ich drehte einen Film über die Trockenheit, über die Leute von Aufus, die mit allen Mitteln versuchten, den Regen herbeizulocken. Ein runzliges Weib schlug vor, das große Tauziehen zu veranstalten. Die Männer auf der einen Seite, die Frauen auf der anderen. Der Kampf ging los, wurde immer heftiger, und plötzlich, auf ein verabredetes Zeichen, ließen die Männer das Seil fahren. Die Weiber stürzten zu Boden. Stießen wilde Jauchzer aus, warfen die Beine in die Luft. Und entblößten ihr Geschlecht. Nun taten es die Männer ebenso, begannen zu onanieren. Alle zusammen, und sangen eine inbrünstige

Litanei dazu. Der Samen fiel auf die vertrocknete Erde, um sie fruchtbar zu machen. Danach zogen sie an den Ostrand der Oase, um zu beten. Sie fielen auf die Knie und begannen, Allah zu beschwören. Wolken zu schicken, Regen, der sie retten würde vor der Dürre und dem Verdursten. Das Unglaubliche trat ein. Ich sage unglaublich, weil ich nicht daran glaubte. Am Horizont zeigte sich eine Wolke. Ich wußte, daß ich haluzinierte. Ich befahl dem Kameramann, den ganzen Vorgang zu fotografieren. Zehn Minuten lang wurde meine Überzeugung auf die Probe gestellt. Aber ich konnte doch nicht annehmen, daß sich die Materie hypnotisieren läßt. Daß man mit dem Willen Berge versetzte. Daß man die Naturgesetze einfach aufhob, als seien sie nur vorübergehend gültig. Die Wolke näherte sich, schwarz und bedrohlich. Ein paar hundert Menschen hielten den Atem an, bis plötzlich ein Schrei des Entsetzens die Stille durchfuhr. Ich atmete erleichtert auf. Die Wolke brachte keinen Regen, sondern das äußerste Unheil, das eine Oase heimsuchen kann. Heuschrekken. Millionen Heuschrecken. Mein wissenschaftliches Weltbild war gerettet. Die Naturgesetze ließen sich nicht manipulieren. Die Materie war unbestechlich. Nach einer Stunde war von der grünen Oase nichts übriggeblieben als eine Hölle von kahlgefressenen Palmen. Ich hatte mein philosophisches Gleichgewicht wieder, und die Leute von Aufus waren zu Bettlern geworden. Man glaubt an Wunder, oder man glaubt nicht daran. Ich jedenfalls nicht. Frau Zaui aber beunruhigte mich trotzdem. Wer weiß, was sie uns in die Suppe streute. Und zu welchem Zweck.

Im November jenes Jahres brachte Hanka einen Knaben zur Welt. Unseren ersten und einzigen. Es war ein Sechsmonatskind. Wog knappe dreizehnhundert Gramm. Sah aus wie eine Languste, und Professor Veneziano sagte, das Kind müsse sterben. Als Frau Zaui das hörte, erklärte sie, der Professor sei ein Ziegenkopf, ein ras el maasa. Sie sei zwar nicht in die Schule gegangen, aber so eine Erkenntnis hätte sie auch haben können. Jeder Mensch müsse sterben. Es frage sich nur wann! Ihre Worte gaben mir Mut, und Hanka lächelte zum ersten Mal seit ihrer Niederkunft. Dennoch wagte ich nicht, das Kind registrieren zu lassen. Aus Furcht, dem Schicksal vorzugreifen. Mein Sohn lag in einem Brutkasten. Bekam Sauerstoff aus einem Beatmungsapparat, und Professor Veneziano versicherte, daß es keine Hoffnung mehr gebe. Nach zwei durchwachten Nächten kehrte ich nach Hause zurück. Niedergeschlagen und müde. Ich trat in die Wohnung und erblickte Frau Zaui, die am Boden lag und betete. Als sie fertig war, fragte ich, was es Neues gebe. Sie stand auf, machte sich das Haar zurecht und sagte, Gott habe ihr eine Botschaft übermittelt.

– Was für eine?

– Daß du morgen aufs Amt gehen sollst, um den Knaben anzumelden.

– Wer weiß, ob er morgen noch lebt.

– Er wird leben, wenn du ihm den rechten Namen gibst.

– Was verstehen Sie unter einem rechten Namen, Frau Zaui?

– Den ersten Sohn nennt man Mohammed. Wenn er Mohammed heißt, wird er groß und gescheit.

Bei diesen Worten band sie sich den Schleier um den Kopf. Dann warf sie den Kaftan über und ging. Unter der Türe drehte sie sich noch einmal um und sagte:

– Mohammed wird hundert Jahre alt, denn es steht geschrieben, daß die Schwachen stark und die Kranken gesund sein werden.

Am nächsten Morgen ging ich zur Stadtverwaltung und meldete meinen Sohn an, dem ich den Namen Mohammed gab. Darauf fuhr ich ins Krankenhaus, um Hanka zu besuchen. Sie lag in ihrem Bett und weinte. Professor Veneziano hatte gesagt, das Kind werde den Tag nicht überleben. Wir sprachen lang miteinander und machten uns darauf gefaßt, unser Kind zu verlieren. Ich blieb bis zum Abend, wartete auf seinen Tod, doch als die Sonne unterging, lebte es noch immer. Ich machte mir keine Illusionen. Ich konnte nichts gegen das Schicksal. Ich fuhr nach Hause und teilte Frau Zaui mit, daß der Knabe verloren sei. Diese Nacht werde er uns verlassen. Sie saß da. Traurig. Mit gekreuzten Beinen und sagte:

– Er wird dich verlassen, weil *du* ihn verlassen hast.

– Ich kann ihm nicht mehr helfen, Frau Zaui. Es ist zu spät.

– Solange er lebt, ist es nicht zu spät. Geh hin und du wirst sehen, daß sie ihn ersticken.

– Woher wissen Sie das, um Gottes willen?

– Ich spüre, daß sie ihn ersticken. Stell keine Fragen und geh zu deinem Sohn!

Ich gehorchte schon wieder. Gegen meine Überzeugung und gegen die Wissenschaft. Ich raste durch die Stadt und kehrte ins Krankenhaus zurück. Wie ein Besessener rannte ich durch die Gänge und in den Saal mit den Brutkästen. Man hatte den Sauerstoffapparat abgestellt. Um Strom zu sparen, möglicherweise; oder weil das Kind ohnehin keine Chancen mehr hatte. Das Blut schoß mir in den Kopf. Meine ganze Verzweiflung verwandelte sich in Tobsucht. Ich suchte einen Arzt, den ersten besten, an dem ich meine Wut auslassen konnte. Ich fand einen, der mir über den Weg lief, und schlug ihm zwei Zähne aus. Ich brüllte, die Ärzte seien eine Mafia von Mördern, die Krankenpfleger ihre Helfershelfer, und wehe dem Schurken, der den Brutkasten noch einmal abdrehen werde. Ich sank in einen Sessel. In Schweiß gebadet. Am Ende meiner Kräfte und schlief ein. Am darauffolgenden Morgen röchelte das Kind. Schwach und stoßweise. Hatte fast keinen Puls mehr. Wog nur noch zwölfhundert Gramm. Man ernährte es künstlich. Mit Kindermehl und Zuckerwasser. Gegen Mittag verfärbte sich seine Haut. Rost und Grünspan überzogen den kleinen Körper. Das war das Ende. Ich flüchtete nach Hause, um mich auszuheulen. Frau Zaui stand im Wohnzimmer. Mit verweinten Augen, kreidebleich. Sie wußte alles, obwohl niemand sie benachrichtigt hatte.

– Ich habe mit ihm gesprochen.

– Mit wem?

– Mit deinem Mohammed. Er ist mir im Traum erschienen. Hat mir alles erzählt.

– Was?

– Daß er sterben muß.

– Ich weiß.

– Weil du auf den Professor hörst statt auf mich.

– Ich höre auf Sie, Frau Zaui. Mehr als es sich geziemt. Ich war auf der Stadtverwaltung, weil Sie es so wollten. Ich habe ihn angemeldet, wie Sie es wünschten. Ich gab ihm den Namen Mohammed. Was wollen Sie noch von mir?

– Nichts will ich von dir, aber ich habe vier Kinder zur Welt gebracht. Ich lebe allein. Ohne Mann. Ich ernähre fünf Personen durch meine Arbeit. Ich führe *meinen* Haushalt und *deinen*. Ich habe mehr Leben im Blut als du und dein dummer Professor zusammengenommen.

– Wozu erzählen Sie das alles? Mein Kind ist nicht mehr zu retten.

– Ich habe genug Leben im Blut, um dein Kind dreimal zu retten, aber man läßt mich nicht. Ich darf ja nicht zaubern. Mußte versprechen, keinen Unfug zu treiben.

– Was haben Sie im Sinn, Frau Zaui?

– Nichts. Ich habe versprochen, keinen Unfug zu treiben.

Ich haßte diese Frau. Jetzt hatte sie die Oberhand. Ich war ihr ausgeliefert, und das wußte sie. Sie konnte tun, was sie wollte. Ich durfte ihr nicht widersprechen. Sie würde irgend etwas verlangen, und ich mußte einwilligen, denn ich liebte dieses Kind. Diese zwölfhundert Gramm Protoplasma, die noch gar nicht begonnen hatten zu leben. Ich war zu allem bereit, zu jeder Schandtat, und fragte sie:

– Woher wissen Sie, daß mein Kind gerettet werden kann?

– Ich habe schon andere Kinder gerettet.

– Wie?

– Mit meinem Blut.

– Mit Ihrem was?

– Mit meinem Monatsblut, verstehst du?

Das war zuviel für mich. Ich jagte sie davon. Ich schickte sie zum Teufel und verbot ihr, je wiederzukehren. Sie verließ meine Wohnung, ohne ein Wort zu sagen.

Ich war damals vierzig Jahre alt. Ein reifer Mann. Im Zenith des Lebens. An jenem Tag war ich ein Nichts, ohne Kraft und Willen. Ich schloß mich ein, in meinem Zimmer. Warf mich aufs Bett und schluchzte. Ich weinte stundenlang. Bis die Nacht hereinbrach. Plötzlich klingelte das Telefon. Hanka rief an. Der Todeskampf hatte begonnen. Bald sei alles zu Ende. Noch eine Stunde. Höchstens zwei. Ich solle nicht verzweifeln, sagte sie. Das Leben gehe weiter. Wessen Leben? fragte ich und hängte auf.

Ich hatte noch etwa hundert Minuten. Wenn ich jetzt nichts unternahm, war ich mitschuldig am Tod meines Sohnes. Ich ging zum Fenster. Es war eine seidenblaue Novembernacht. Der Mond hing über den Eukalyptusbäumen. Wie ein silbernes Fragezeichen. Da ergriff mich ein Schauder. Ein kalter Schrecken. Ich sprang die Treppen hinunter, stürzte in meinen Wagen und hetzte los. Durch Ben Aknun, El Biar und hinüber nach Bab el Ued. Dort wohnte sie. In einem der Armenviertel am Rande der Khasba. Hastete hinauf, drei Stufen auf einmal. Ich rumpelte an ihrer Türe. Schrie, sie solle aufmachen. Sie öffnete, angezogen und verschleiert, als habe sie längst auf mich gewartet. In ihrer Hand hielt sie ein Fläschchen, mit einer dunklen Flüssigkeit. Sie folgte mir, und den ganzen Weg sprach sie kein Wort. Sie schaute vor sich hin und drückte das Fläschchen an ihre Brust. Endlich kamen wir an. Vor dem Krankenhaus. Die Parkplätze standen leer. Ich riß den Wagen herum. Stellte ihn quer über die Straße. Das Tor war verschlossen. Ich läutete. Ein schwarzer Wächter schlurfte herbei und sperrte auf. Frau Zaui ging ihm entgegen. Flüsterte etwas auf kabylisch, damit es niemand verstünde, und drückte ihm eine

Münze in die Hand. Der Wächter nickte bedeutungsvoll. Ließ uns eintreten. Führte uns durchs Labyrinth der Korridore. Bis zum Saal mit den Brutkästen, wo mein Sohn seine kleine Seele aushauchte. Die winzigen Augen standen offen. Er schien zu schauen. Sein Körperchen war nackt. Elend und hilflos wie ein Mistkäfer auf dem Rücken. Blau angelaufen. Verkrampft.

Was weiter geschah, weiß ich nicht. Eine Ohnmacht hatte mich überwältigt. Ein Schlaf, den ich mir bis heute nicht erklären kann. Vielleicht war es die Müdigkeit. Vielleicht die Angst, an der ekelhaften Zauberei teilzunehmen. Mag sein, daß sie mich einschläferte, um mich loszusein für die Dauer des Experiments. Ich kann mich nur erinnern, daß ich träumte und daß mein Traum mich sanft durchrieselte. Ich schwebte über eine Lianenbrücke. Die Umgebung schien mir vertraut. Da war ich schon einmal gewesen. Unter mir stank das schleimige Wasser eines Flusses. Der Oberlauf des Niger nehme ich an. Paradiesvögel zitterten in der Luft. Zwerghafte Flügelchen am Ende von langen Schweifen. Sie hielten sich am Himmel wie schillernde Helikopter, fast bewegungslos, und gaben zirpende Laute von sich. Hinter mir, am Westufer, zwei Menschenaffen, auf dem Sprung mich zu verfolgen. Sie trugen Offiziersuniformen mit lächerlichen Epauletten. Dem einen hing eine Filmkamera um den Hals. Der andere hieß Klindera, hielt einen Stutzer in der Hand und zielte auf mich, als wolle er mich erschießen. Aber ich fühlte mich frei auf meiner Brücke. Drei Lianenseile führten hinüber. Eines unten für die Füße. Zwei oben für die Hände. Ich hüpfte vorwärts. Blieb stehen. Blickte zurück. Schleuderte Kokosnüsse auf die beiden Bestien, doch ich traf daneben. Jetzt wurden sie wild. Kletterten mir nach. Humpelten hinter mir her, daß die Seile ins Wanken gerieten. Ein paar Dutzend Schritte trennten uns voneinander. Sie kamen näher, noch näher. Es war weit bis zum anderen Ufer, aber dort stand ein Pfau, der das Rad schlug und sang. Eine schwermütige Melodie, die ich irgendwo schon gehört hatte. Ich mußte kämpfen mit meinen Verfolgern. Es gab keinen Ausweg, doch ich hatte keine Angst. Ich begann zu schaukeln auf meiner Brücke. Hinauf und hinunter. Noch höher, noch tiefer, bis die Seile zu ächzen begannen und die Verfolger die Flucht ergriffen. Unter mir, im Wasser, eine Herde von Flußpferden. Über mir die Kronen von urzeitlichen Baobabs und dort die zwei, die das Weite suchten. Da erwachte ich. Vom nahen Minarett rief der Muezzin. Es war taghell geworden. Frau Zaui kniete am Boden und verrichtete ihr Morgengebet. Im Brutkasten lag mein Sohn Mohammed. Er atmete regelmäßig. Seine Haut war wieder glatt und schneeweiß. Seine Hände entkrampft.

Sie hatte gewonnen, aber sie gehörte nicht zu den Frauen, die ihre Erfolge auskosten. Natürlich war sie stolz, doch sie zeigte es nicht. Frau Zaui hatte bewiesen, daß sie mehr konnte als der berühmte Professor Veneziano. Wir hatten ihr verboten, Zauberkünste an uns auszuprobieren. Dann aber mußten wir sie anflehen, es zu tun. Das war ein Schlag für unsere Weltanschauung. Für unsere Überzeugung. Für unseren Glauben an die reine Vernunft. Und trotzdem fühlten wir uns wohl. Glücklicher als vorher. Wir waren um eine Erfahrung reicher. Und um einen Menschen, der in seiner Wiege lag und anfing, sich einzumischen in unseren Alltag. Kersabi kam immer noch zum Essen. Die theologischen Streitgespräche begannen von neuem, als wäre nichts geschehen. Nur hatte sich das Kräfteverhältnis ein wenig verschoben. Zugunsten von Frau Zaui. Der Schnurrbart war vorsichtiger geworden und zeigte einen gewissen Respekt für die Frau, die er so oft verspottet hatte.

Eines Tages im Januar – wir feierten den dritten Monat unseres Sohnes – servierte Frau Zaui einen Tadschin, den wir lustvoll verzehrten. Wie gewöhnlich tranken wir Wein dazu, doch als Kersabi die Flasche ansetzte, hob Mohammed ein solches Geschrei an, daß unser Gast die Flasche sinken ließ und verzichtete. Frau Zaui lächelte vielsagend. Sie drehte sich zu Hanka und fragte unvermittelt:

– Wenn dich dein Mohammed ins Gesicht schlüge, so daß du gegen die Wand stürzt und Blut fließt über dein Gesicht. Würdest du ihn dann immer noch umbringen?

– Ich habe ihn zur Welt gebracht, Frau Zaui, damit er ein Mensch wird.

– Du würdest ihm die Hände küssen, weil er lebt und nicht tot ist.

– Sie irren sich, erwiderte Hanka, stand auf und ging aus dem Zimmer.

– Sie wird nie wissen, wovon sie redet, sagte Frau Zaui kummervoll.

– Sie weiß es besser als du und ich, antwortete Kersabi, und wortlos löffelten wir unsere Teller leer.

Ich und die Menschenfresser

An den dampfigen Ufern des Rio Nuniez liegt eine Kreisstadt namens Boké, die bis nach Boffà hinunterstinkt, also mehr als 40 Kilometer weit. Kreisstadt! Das ist ein Adelstitel für so einen Müllhaufen. Ich frage mich ernsthaft, wozu Leute mit Verstand dorthin fahren, wenn es keinen zwingenden Grund gibt. Doch nicht um das verdammte Postamt zu besichtigen und seine zehn Millionen Schmeißfliegen. Oder das katholische Missionshaus, das aussieht wie eine Zuckertorte. Oder den Gedenkstein zu Ehren des René Caillé, der 1827 von Boké aufbrach, so heißt es auf der Marmorplatte, um quer durch den Urwald und die Savanne bis nach Tombuktu vorzudringen. Ich begreife den braven Mann, an seiner Stelle wäre ich bis zum Nordpol vorgedrungen, um das gottverdammte Kaff nicht mehr sehen zu müssen. Wer hatte nur den Einfall, eine Straße zu bauen, auf der Boké von Südwesten her zu erreichen ist? Wozu von Südwesten und wieso überhaupt? Die Zufahrt sieht aus wie ein vertrocknetes Flußbett, wo die Skelette von Lastautos und Baumaschinen in der Sonne verrotten.

Boké hat sechstausend Einwohner, von denen nur

fünfundfünfzig zu Gott beten. Die anderen sind Animisten und haben Gepflogenheiten, von denen wir noch reden werden. Die eigentliche Sehenswürdigkeit ist das Kreisgericht, dessen bessere Tage längst vorüber sind. Es *gab* bessere Tage, das kann ich bezeugen, denn ich bin selber dortgewesen. Das Abenteuer in Boké verdanke ich meinem damaligen Vorgesetzten. Man sagte, er sei ein Hanswurst, und ich bin geneigt, diese Meinung zu teilen, obschon ich nicht ganz sicher bin. Schon sein Name war eine Komödie. Er hieß Emil Tompapa. Er konnte lesen und schreiben, was zu jenen merkwürdigen Zeiten genügte, um in Guinea Rundfunkdirektor zu werden. Ich sage nicht, daß er dumm war. Im Gegenteil. Er war listig und manchmal sogar verschlagen. Ein Ränkespieler, hieß es, dem man besser nicht über den Weg traut. Darum fragte ich mich immer wieder, zu welchem Zweck er mich damals nach Boké geschickt hatte, in dieses Sumpfloch im Arsch der Welt. Er hatte den Auftrag, die Herzen der Eingeborenen mit Musik zu berieseln. Mit zurechtfrisierten Informationen und unverbindlichen Reportagen. Mit der Musik hatte er keine Schwierigkeiten. Der Rest hingegen bereitete ihm Kopfzerbrechen. Man brauchte Redaktoren, Sprecher, Reporter, und da man sie nicht hatte, ließ man Entwicklungshelfer kommen, um sie heranzubilden. Für die Reporter war *ich* zuständig. So schickte mich dieser sonderbare Mensch in einen Bezirk, der im Blauen Reiseführer folgendermaßen charakterisiert wird: »Eine der seltenen Gegenden Äquatorialafrikas, wo die Menschenfresserei noch reichlich verbreitet ist.« Ermutigend war das nicht. Was wollte er also von mir, dieser Tompapa? Ich konnte meine Reporter auch anderswo ausbilden. In Cancan oder Kindja zum Beispiel, wo die Menschenfresserei weniger verbreitet war. Hatte er geheime Absichten? Jedenfalls fragte ich ihn unumwunden, was ich in Boké tun sollte. Er antwortete ebenso unumwunden: Was du tun sollst? Deine Arbeit! Reporter sollst du ausbilden. Ihnen zeigen, wie man es macht. Und als ich wissen wollte, worüber wir denn Reportagen machen sollten, erwiderte er, es sei ihm vollkommen egal, solang wir ihm keine Scheißereien bereiteten.

Das war deutlich. Und undeutlich zugleich. Ich bat um Einzelheiten. Da zündete er sich eine Zigarette an und sagte mit bösem Flackern in den Augen: Keine Scheißereien, du verstehst mich genau, sonst fresse ich dich auf!

Ich fuhr also nach Boké, und es war mir klar, daß meine Reportagen so harmlos sein sollten, wie nur irgendwie möglich. So zahm wie der Furz einer Ameise. Die Redensart stammt aus der Sussusprache. Sie beinhaltet, daß man zwar knallen darf, aber leise. Bitteschön. Ich beschloß, im besagten Kaff das Kreisgericht aufzusuchen. Kriminalfälle sind immer interessant und stören niemanden. Ich ging also hin, um zu erfahren, ob etwas los sei. Es war etwas los.

Eine gewisse Frau Diop, wohnhaft in Boké, Mutter von neun Kindern und Gattin des berüchtigten Schürzenjägers Abdullaj Diop, stand unter Anklage, den sechs Monate alten Säugling ihrer Nachbarin aufgefressen zu haben. Nicht mehr und nicht weniger. Der Furz einer Ameise. Sensationell, aber unpolitisch. Der Fall kompromittierte weder die nationale Revolution noch den Staatspräsidenten. Der Prozeß war für den 1. Februar 1961 anberaumt. Der Gerichtssaal bestand aus einem Tisch, einer Glocke, einer Bank für das hohe Gericht und zweihundert schäbigen Stühlen für Zeugen und Publikum. Die vier Wände waren von Termiten zerfressen und an jeder hing ein Riesenbild des »Führers der Nation«. Die Temperatur betrug 45 Grad im Schatten. Es roch nach Aas und faulen Fischen. Trotzdem ging es lustig zu. Auf jedem Stuhl saßen bereits zwei bis drei Personen. Kautschukpflanzer, Jäger, Hirsebauern, Lastenträger und Weiber jeden Alters, die sich lüstern herbeidrängten, um das Spektakel mitzuerleben. Verständlich. Es gab noch kein Fernsehen in Guinea, und jedes Volk hat ein Anrecht auf Unterhaltung. Ich war da, mit meinen vierundzwanzig Lehrlingen und einem tragbaren Tonbandgerät, das noch mehr Aufsehen erregte als die Menschenfresserin. Sie saß auf der Anklagebank und bohrte in der Nase. Meine Anwesenheit schien ihr gleichgültig zu sein. Nur meine Maschine störte sie über alle Maßen, da sie ihr ganz offenkundig die Show stahl. Eines war mir klar. Von allem Anfang an. Frau Diop hatte den Knaben nicht aus Hunger gefressen. Keine Tragödie aus der Dürrezone des Sahel. Keine Verzweiflungstat einer Flüchtlingsmutter aus Biafra. Eine hundsgewöhnliche Eifersuchtsgeschichte, wie sie in Zürich hätte passieren können oder New York. Frau Diop hatte aus verletzter Eigenliebe gehandelt. Um sich an ihrer Rivalin zu rächen und sie zu strafen. Es gab natürlich einige Fragen. Warum hatte Madame Diop nicht ihre Gegenspielerin verzehrt? Die Rache wäre süßer gewesen. Oder ihren ungetreuen Ehegatten?

Die Nebenbuhlerin saß in meiner nächsten Nähe und demonstrierte Trauer um das gefressene Kind. Gleichzeitig strahlte sie vor Stolz, im Mittelpunkt des öffentlichen Geschehens zu stehen. Ein Leckerbissen war sie nicht, ich meine vom kulinarischen Standpunkt aus, aber ich konnte mir vorstellen, daß der Schürzenjäger einige vergnügliche Augenblicke mit ihr verbracht hat.

Der Richter kam aus Paris, war Kandidat der Rechte und Mitglied der kommunistischen Partei Frankreichs. Er trug eine Brille und drahtige Borsten auf dem Kopf. Messerscharfe Logik strahlte von seiner Nase aus und eine melancholische Verständnislosigkeit für alles, was hier geschah. Als er die rituelle Frage stellte, ob es wahr sei, daß die Angeklagte den halbjährigen Kejta Bangui verzehrt habe, erwiderte diese bereitwilligst: Jawohl, das ist wahr! Mit dieser Auskunft war das Gerichtsverfahren theoretisch beendet. Weitere Erhebungen schienen überflüssig. In Wirklichkeit aber fing die Geschichte erst richtig an. Doch muß ich zuerst erklären, warum ich bei diesem Geständnis nicht einfach vom Sessel kippte. Ich hatte nämlich zu jenem Zeitpunkt schon gewisse Erfahrungen auf dem Gebiete der Menschenfresserei. Ich verdankte sie ebenfalls meinem Prinzipal, dem unvergleichlichen Emil Tompapa. Er hatte ausdrücklich verfügt, daß ich vor Antritt meiner Ausbildungstätigkeit eine Rundreise unternähme, um Land und Leute kennenzulernen. Zu diesem Zweck und um mich eine Zeitlang loszusein, schickte er mich nach Kissidugu, tausend Kilometer weiter im Südosten, wo gerade ein historischer Kongreß der Einheitspartei zelebriert wurde. Wegen des Kongresses wäre ich nicht einmal vor die Haustüre getreten, aber die Aussicht, das paradiesische Hochplateau des Niger zu durchqueren, versetzte mich in einen Zustand der Euphorie. Emil begleitete mich auf den Flugplatz, erteilte mir praktische Ratschläge und versicherte, bei meiner Ankunft werde ich vom Militärkommandanten abgeholt. Ich war naiv und glaubte ihm jedes Wort. Dann kletterte ich ins Flugzeug. Ich war der einzige Passagier, als wir uns in die Lüfte hoben. Die Reise dauerte fünf Stunden. Von Düsenflugzeugen wußte man damals noch wenig. In Äquatorialafrika überhaupt nichts. Wir summten behaglich über die Wildnis von Forekaria, die krokodilgrünen Hänge des Futa Dschallon, die verschlafenen Nebenflüsse des Maffù. Irgendwo hetzten Elefanten durch eine Waldschneise. An einem Schilfsee weideten Büffel, leichtfüßige Antilopen, Herden von bunten Affen. Es begann schon zu dämmern, als wir uns der Schleife von Njandu näherten. Die ersten Lichter funkelten schon. Wir kreisten über Kissidugu. Dort tagte der historische Kongreß der Einheitspartei, und der Militärkommandant wartete, wie ich annahm, auf meine Ankunft. Emil hatte es mir versprochen. Also mußte es wahr sein. Das Flugzeug ging nicht in der Stadt nieder, sondern auf einer Lichtung des Urwalds. Der Steward ließ eine Strickleiter hinunter und hieß mich aussteigen. Dann warf er eine Rolle von Leitungskabel auf die Landepiste. Er gab das Zeichen zum Weiterflug. Die Maschine keuchte empor und verschwand in Richtung Nzérékoré am Dreiländereck zwischen Liberia, Sierra Leone und Guinea. Eine Staubwolke wirbelte über die Kokospalmen, und ich war allein. Das nächste Flugzeug in vierzehn Tagen! Es wurde Nacht. Die Hitze des Tages verwandelte sich in die dumpfe Schwüle eines Dampfbads. Keine Menschenseele weit und breit. Kein Haus, keine Baracke, nicht einmal ein Radarmast. Ich malte mir aus, daß der Militärkommandant bei seinen Weibern lag. Er hatte wohl überhört, daß ich kommen sollte. Er pfiff mir eins und vergnügte sich anderwärtig. Ein Mittel, ihn zu verständigen, gab es nicht. Es blieb nur die Hoffnung, daß sonst jemand vorbeikäme, aber diese Hoffnung war gering.

Was hatte er denn gegen mich, dieser Tompapa. Das alles war doch kein Zufall. Ich stand allein auf einem gottverdammten Landeplatz, mitten im Urwald, am Ende der Welt. Ich wagte nicht einmal, mich hinzusetzen, weil ich Angst hatte, vor Schlangen und Taranteln und Giftkröten. Er hatte nicht telefoniert, dieser Spitzbube. Angelogen hatte er mich. Aber wozu? Er mußte wissen, daß mein Linienflugzeug erst bei Anbruch der Dunkelheit in Kissidugu ankommen würde. Daß dieser Flugplatz unbewohnt war und daß es mein Tod wäre, wenn niemand eintraf, um mich abzuholen. Ich stand ihm doch nicht im Wege. Ich bedrohte weder sein Ansehen, noch strebte ich nach seiner Stellung, die ich als Ausländer ohnehin nicht bekommen könnte. Ich war ein ungefährlicher Entwicklungshelfer. Nach Beendigung meines Vertrags würde ich verreisen. Für immer. Und trotzdem war ich ein Stachel in seiner Seele. Oder bildete ich mir das nur ein? Die Vögel kreischten. Tiere brüllten durch die Nacht. Myriaden von Leuchtmücken surrten um mich herum, und es wurde mir klar, daß ich in eine Falle geraten war. Emil Tompapa wollte sich meiner entledigen. Klar! Vielleicht weil ich ein Weißer war. Zwar bin ich kein Franzose. Mit der ehemaligen Kolonialmacht habe ich wahrhaftig nichts gemein, im Gegenteil. Aber ich besitze nun einmal die gleiche Hautfarbe wie alle die Hurensöhne, die hier herumkommendiert haben. Jahrhundertelang. Ich hatte nicht den Mut, mich vom Fleck zu rühren. Ich war schwach vor Erschöpfung. Eine falsche Bewegung und ein Panther konnte mir in den Nacken springen. Ich wartete seit mehr als drei Stunden. Der Dschungel war außer Rand und Band. Es zirpte, jaulte, gellte, japste. Es war zum Verrücktwerden. Ein Königreich für ein Flugzeug! Auch ein Ochsenkarren hätte mir genügt. Nur weg wollte ich von hier. Zurück in die gewohnten Breiten, wo man um Hilfe rufen konnte. Mit einiger Aussicht auf Erfolg. Da geschah das Wunder. Ein Scheinwerfer blinkte durchs Dickicht. Ein Landrover ratterte auf die Lichtung zu. Ein Europäer saß am Steuer. Ich habe bei Gott keine Vorurteile. Ich mache keinen Unterschied zwischen schwarz und weiß, bilde es mir wenigstens ein, aber diesmal fühlte ich mich erleichtert. Der Mann kam zwar nicht meinetwegen. Er holte nur das Leitungskabel, das der Steward auf die Landepiste geschmissen hatte. Ich rief ihm entgegen, ich brüllte und schrie, aber es war zwecklos. Meine Stimme ging unter im Getöse des Urwalds. Da rannte ich los, vergaß die Panther und Schlangen und konnte ihn gerade noch erreichen, als er davonfahren wollte. Er hieß Stefanopulos, war ein Grieche und hatte sich mit einer Sodawasserfabrik Millionen zusammengescheffelt. Ein geniales Volk sind diese Griechen. Seit homerischen Zeiten erspähen sie Marktlücken und bereichern sich daran. Sie produzieren weder Erdöl noch Atombomben, aber Sodawasser am Äquator, wo die Leute vor Hitze den Verstand verlieren. Er lachte sich tot, als ich ihm gestand, daß ich auf den Militärkommandanten wartete: Sie sind ein Anfänger, Monsieur. Ein blutiger Anfänger. Der Militärkommandant kommt nicht einmal, um den Staatspräsidenten abzuholen. Der hat doch alle Hände voll zu tun: vier Frauen, neun Nebenfrauen und ein paar Dutzend Weiber im ganzen Militärbezirk. Das zehrt an der Substanz. Sogar wenn er schwul wäre, würde er nicht kommen, um Sie zu begrüßen. Weil er überarbeitet ist und schlapp. Weil hier nichts passiert und nie etwas passieren wird. Sie sind in Afrika, lieber Freund. Sie müssen noch viel dazulernen, wenn Sie überleben wollen.

Wir rollten Kissidugu entgegen. Lianen hingen von tausendjährigen Baobabs herunter. Wurzeln wucherten über den Weg und machten die Fahrt zu einer Qual. Ich saß neben dem Griechen, hörte seinem Selbstgespräch zu und versuchte dazuzulernen:

– Seit ich hier lebe, brummte er, seit mehr als zwanzig Jahren ist nichts Bemerkenswertes vorgefallen. Nichts. Ganz am Anfang gab es einmal eine Überschwemmung, eine anständige Katastrophe bei

Sérédu, mit einem Dutzend Toten. Einige Jahre später hatten wir eine Feuersbrunst. In Bamakoro. Ein pyrotechnisches Wunderwerk. Mehr als zwanzig Rettungsmänner sind dabei umgekommen. Aber damit hat sich's. Aus! Verrecken kann man hier vor Langeweile!

Ich fragte schüchtern, ob sonst wirklich nichts geschehen sei. Irgend eine Kleinigkeit. Da verzog sich seine Visage zu einem Grinsen und er gluckste:

– Ja, richtig. Letzten Januar in Gékédu. Da fraß ein Straßeninspektor den Bürgermeister auf!

Ich wurde bleich und glaubte, falsch gehört zu haben. So fragte ich, warum er das getan habe. Stefanopoulos bremste seinen Landrover, starrte mich entgeistert an und erwiderte, indem er seine Augenbraue mißbilligend hochzog:

– Was heißt da, warum? Er hat den Bürgermeister aufgefressen, weil er selber Bürgermeister werden wollte. Darum!

Das war meine erste Lektion in afrikanischen Wissenschaften.

Der Richter hatte also gefragt:

– Ist es wahr, Madame Diop, daß Sie das Kind Ihrer Nachbarin aufgefressen haben?

Und die Angeklagte hatte höflich zu Protokoll gegeben:

– Jawohl, das ist wahr.

Ich sagte bereits, daß der Richter aus Paris kam und Mitglied der kommunistischen Partei Frankreichs war. Er gab vor, ein Realist zu sein. In Wirklichkeit war er ein Linksintellektueller, wie er im Buche steht. Er war nach Afrika gekommen, um den schwarzen Brüdern zu helfen und den Weg zu weisen. In eine bessere Zukunft, in eine Welt der Gleichheit und Brüderlichkeit. Kurz. Er war ein prachtvoller Idiot, ähnlich wie ich selbst, und glaubte uneigennützig an den Sieg der Logik über die Unvernunft.

– Wie haben Sie das Kind verzehrt, fragte er mit äußerster Liebenswürdigkeit, haben Sie es zerschnitten?

– Ich zerschneide doch keine Kinder, Monsieur.

– Also wie?

– Der Knabe war sechs Monate alt und wog bereits über zehn Pfund.

– Ich begreife nicht, Madame. Gibt es noch andere Methoden, Kinder zu verzehren.

Gründlich sind sie, diese Linksintellektuellen. Alles wollen sie erfahren und dazu noch mit Einzelheiten.

Die Angeklagte wischte sich den Schweiß vom Hals und erklärte:

– Er gibt verschiedene Methoden, Monsieur. Meine, zum Beispiel. Kann ich mich setzen?

– Noch nicht, Madame. Ich muß nämlich genau wissen, wie das vor sich gegangen ist.

– Eine Haut hatte das Kind. Wie japanische Seide.

– Ich will wissen, ob Sie es zerbissen haben. Mit den Zähnen?

Er klopfte mit dem Zeigefinger auf seine oberen Schneidezähne, wobei er den Mund aufsperrte wie ein Raubtier. Die Angeklagte lächelte mitleidig:

– Würden Sie ein Kind mit den Zähnen zerbeißen, Monsieur? Einen hübschen kleinen Engel? Einfach so, wie eine Wurst?

– Ich glaube, Sie haben das Kind gar nicht aufgefressen, Madame Diop.

Der Mann war ein Entwicklungshelfer. Ein schönes Wort, aber wie sollte er helfen? Bei welcher Entwicklung? Dieser Prozeß stellte alles in den Schatten, was wir je gehört hatten. Wir waren weitgereiste Leute, hatten allerlei erlebt und ließen uns so leicht nicht aus der Ruhe bringen. Jetzt aber sträubte sich das Haar auf unseren Köpfen. Frau Diop verlangte, daß man ihr eine Papajafrucht hereinbringe. Eine große und saftige. Wenn möglich von der Größe eines erwachsenen Mannes. Der Richter gab dem Beisitzer ein Zeichen, sich um das Gewünschte zu kümmern, und fing an, ziellos in den Akten zu blättern.

Frau Diop bat jetzt um ein Streichholz. Der Richter suchte in seinen Taschen herum. Schließlich fand er eines. Er reichte es der Angeklagten. Zwei Gerichtsdiener schleppten die Papajafrucht in den Saal. Sie war farbig und glich einem überlebensgroßen Kürbis. Man legte sie auf eine Waage, die neben der Türe stand. Das Bruttogewicht betrug hundertsiebzig Pfund, soviel wie ein Schullehrer. Frau Diop lächelte und steckte sich das Streichholz zwischen die Lippen. Sie begann daran zu saugen wie ein Kind an der Mutterbrust. Intensiv und bedächtig. Es wurde mäuschenstill im Raum. Alle brannten vor Neugier, was hier geschehen würde. Frau Diop sog und schnaubte, schnaubte und sog. Sie horchte in sich hinein, starrte mit gläsernen Augen in die Menge und fing an, sich hin und her zu wiegen, mit dem Kopf zu wackeln und leise zu stöhnen. Eine merkwürdige Angst befiel mich. Schweiß trat mir auf die Stirn. Emil Tompapa hatte mich hergeschickt. Ich verfluchte seinen Vater und seine Mutter. Was bezweckte er mit diesem Auftrag? Mag sein, daß er eifersüchtig war. Er hatte eine Frau, die rundherum eine blutdruckerhöhende Wirkung ausübte. Auf mich wie auf alle anderen. Ich will gar nicht bestreiten, daß ich von ihr träumte, doch wäre ich niemals so unverfroren gewesen, auf ihre Avancen einzugehen. Ich war schließlich der Gast in diesem Land, und die Regeln der Loyalität sind mir heilig. Das konnte nicht der Grund sein. Vielleicht schüchterte ich ihn ein. Nie verharrte ich auf meinem Standpunkt, auch wenn ich tausendmal recht hatte. Nie korrigierte ich ihn, obwohl er die Gewohnheit hatte, monströse Behauptungen aufzustellen. Beethoven sei ein italienischer Staatsmann, hatte er gesagt, und ich zog demütig die Schultern hoch, als hätte ich mir zu diesem Thema noch keine abschließende Meinung gebildet. Aber Emil war ein Malinké und hatte, wie alle Angehörigen dieser Völkerschaft, Antennen in der Haut. Er durchschaute mich, nehme ich an, und interpretierte mein Schweigen als beißende Ablehnung, wortlose Rechthaberei oder gar als boshafte Kritik. Er irrte sich nicht. Hinter meiner Maske gutmütiger Toleranz bin ich ein Klugscheißer, ein Missionar, der den Eingeborenen die frohe Botschaft der westlichen Zivilisation bringt. Ich hielt ihn insgeheim für einen Barbaren und Halbanalphabeten. Wenn er meine Gedanken lesen konnte, mußte er mich zum Teufel wünschen. Er war aber schlau wie eine Klapperschlange und behandelte mich korrekt. Er dachte sich wahrscheinlich, in Boké würde mich das

Schicksal ereilen, denn es stand ja im Blauen Reiseführer, die Menschenfresserei sei dort noch reichlich verbreitet.

Seit einer halben Stunde sog Frau Diop an ihrem Streichholz. Die Hitze wurde unerträglich. Die Luft wurde so feucht, daß man sie beinahe schlürfen konnte, und es stank nach toten Katzen. Kurz vor Mittag ging ein Raunen durch den Saal. Die Angeklagte spuckte aus und erhob sich von ihrem Sitz. Der Richter erwachte aus seinem Halbschlaf, und ich schaltete das Tonbandgerät wieder ein. Man spürte, daß der große Moment gekommen war. Frau Diop drehte sich zum Beisitzer und sagte, er möge jetzt die Papajafrucht noch einmal wiegen. Sie hatte 170 Pfund gewogen, als man sie hereintrug. Jetzt nahm man die Gewichte von der Waage, eines nach dem andern. Die Papajafrucht wog noch knappe neun Pfund. Ich traute meinen Augen nicht. Der Richter röchelte, man habe uns ins Bockshorn gejagt. Das sei eine Mystifikation schlimmster Sorte. Ein Streichholz habe keinen Einfluß auf einen Kürbis. Er kenne sich aus in Fragen der Naturwissenschaften und so weiter. Die Angeklagte blieb ungerührt. Sie verlangte, man solle die Papajafrucht aufschneiden. Ein Gerichtsdiener nahm ein Buschmesser aus der Tasche und hackte hinein. Der Riesenkürbis war leer. Frau Diop hatte ihn gefressen. Ohne hineinzubeißen. Ohne Zähne. Mit dem Geist. Die Hülle war geblieben. Der Inhalt war weg. Was weiter geschah, ist Nachgeschichte. Der Richter erklärte, es gebe kein Gesetzbuch auf der Welt, das untersagt, eine Papajafrucht mit Hilfe eines Streichholzes zu verzehren. Oder einen sechsmonatigen Knaben durch Telepathie. Menschenfresserei finde erst dann statt, verkündete er, wenn ein lebendiger oder toter Mensch verzehrt und mit den Zähnen zerbissen beziehungsweise zerkaut wird. Die Klage gegen Frau Diop sei hinfällig, der Prozeß aufgehoben, und die Leute sollten nach Hause gehen. Das Publikum war begeistert. Minutenlanger Beifall quittierte den Freispruch. Sogar die Klägerin schien befriedigt. Der Applaus verschlug mir den Atem. Schließlich ging es um die Tötung eines Kindes. Warum klatschten die Leute? Nach meiner Rückkehr in die Hauptstadt ging ich zu Emil Tompapa und bat ihn, mir die Sache zu erklären. Seine Worte werde ich nie vergessen:

– Sie haben geklatscht, weil wir euch hinten reingefickt haben. Weil euer Strafgesetz nicht ausreicht, um unser Leben zu begreifen. Weil ihr nur versteht, was ihr sehen und hören könnt. Weil *wir* den Prozeß gewonnen haben und nicht ihr.

– Aber wozu haben Sie mich nach Boké geschickt. Sie wußten doch, daß dort die Menschenfresserei noch reichlich verbreitet ist. Haben Sie gehofft, man würde mich verzehren?

– Bist du verrückt geworden? erwiderte mein Vorgesetzter, wir fressen doch keine Weißen!

– Keine Weißen, fragte ich, wobei ich mich gleichzeitig erleichtert und ein ganz klein wenig gekränkt fühlte.

– Sind wir denn weniger genießbar als die Schwarzen?

– Du wirst Afrika nie begreifen, erwiderte Emil Tompapa. Wir fressen euch nicht, weil ihr gezählt seid. Wenn einer fehlt, dann fällt es auf!

Ich werde Afrika nie verstehen, weil ich gezählt bin. Weil ich bis zu meinem Tod zu den Gezählten gehören werde. Aber was beabsichtigte er, als er mich in diese Sumpflatrine namens Boké schickte? Ich erfuhr es kurz vor Beendigung meines Vertrags, als ich mit Adama eine genußreiche Nacht verbrachte. Sie war Emils Sektretärin und kannte seine Geheimnisse:

– Er hat Mitleid mit dir. Er wollte einen Menschen aus dir machen.

Der Sheriff

Ich war und bin ein Kaninchen. Das sage ich Ihnen im Vertrauen, denn niemand weiß es und niemand soll es wissen. Man hält mich für einen mutigen Mann, der bei den übelsten Raufereien dabeiwar. Das ist wahr. Ich bin bei verschiedenen Handgreiflichkeiten dabeigewesen. Ich habe mitrandaliert und mitkrakeelt, aber hauptsächlich aus Angst. Wenn Sie wüßten, was für eine Angst ich habe.

Auf der Lettenbrücke war ich auch dabei. In der vordersten Reihe sogar. Absichtlich, um nicht zu kneifen im letzten Augenblick. Hinter mir staffelten sich fünf Reihen halbwüchsiger Helden. Jungen und Mädchen. An eine Flucht war nicht zu denken. Alle waren in meinem Alter, zwischen vierzehn und achtzehn Jahren, aber die hatten keine Angst, nehme ich an. Die waren aus härterem Material als ich: Lehrlinge, Hilfsarbeiter, Verkäuferinnen. Sie verdienten bereits ihr Geld und konnten weggehen von zu Hause, wenn es ihnen nicht mehr paßte. Auch fluchen konnten sie wie alte Soldaten. Ich nicht. Ich komme aus einer gepflegten Familie und schäme mich meiner Herkunft. Das habe ich von meinem Vater, der sich auch schämte. Er lehrte mich, daß

Intellektuelle Abfall sind. Nebenprodukte der bürgerlichen Gesellschaft. Metastasen eines krebskranken Körpers. Von ihm erfuhr ich, daß es verwerflich sei, oben zu stehen. Daß die Rettung von unten komme. Also nicht etwa von mir oder meinesgleichen, denn mein Vater war Arzt und meine Mutter Apothekerin. Ich durfte mitmachen. Mein Vater wünschte es sogar. Aber nur in einer Nebenrolle. Die Hauptrolle spiele das Proletariat – dozierte er –, die Klasse der Zukunft, die Vorhut der Revolution. Ich spielte also meine Nebenrolle. Mit geheuchelter Bescheidenheit. Ich ließ mich bewundern und sagte, es sei nicht der Rede wert; den Sheriff solle man bewundern, nicht mich! Der sei eine Persönlichkeit. Lastenträger am Züricher Güterbahnhof. Kisten mit 120 Kilo lädt er auf seinen Buckel. Vom Morgen bis zum Abend. Ein Athlet ist er und unerschrocken. Nicht wie ich! – Der Sheriff eine Persönlichkeit? gluckste jemand – ein schwachsinniger Trottel ist das. Stinkt nach billigem Wein, verbreitet den Tripper statt revolutionäres Bewußtsein. Auf den können wir verzichten. Den brauchen wir überhaupt nicht, weil er uns Schande bereitet! Ich war schlau genug, den Sheriff weiter in Schutz zu nehmen, denn auf diese Weise kamen meine eigenen Qualitäten erst richtig zur Geltung. Ich sagte, daß man mit dem

Kopf allein auch nicht durch die Wand rennt, daß man uns schön zusammengehackt hätte, wenn damals ... und ich erzählte meine Geschichte zum hundertsten Mal. Nicht ganz wahrheitsgetreu, sondern mit listigen Zutaten, die auch meine Nebenrolle ins Rampenlicht rückten. Noch schlauer. Ich verharmloste meine Nebenrolle so bescheiden zu Gunsten des Lastenträgers, daß mir keiner glaubte. Daß mich alle für ungeheuer großmütig hielten und ich schließlich nicht schlechter dastand als der Sheriff selbst. Ich war ein Hase, aber ein gerissener.

Es ereignete sich während dem spanischen Bürgerkrieg. Im Herbst 1937, als jeder anständige Mensch für die Republikaner war und gegen Franco, der von Hitler unterstützt wurde und von Mussolini. Wir waren gerade im richtigen Alter. Als Freiwillige kamen wir noch nicht in Frage, weil wir zu jung waren. Aber protzen konnten wir. Daß wir nach Spanien fahren werden, sobald wir volljährig sind. Um unser Leben zu opfern für den Sozialismus und Kommunismus und alle großen Ideale, für die man so gerne zu sterben pflegt. Vorläufig übten wir den Bürgerkrieg im kleinen. Auf der Lettenbrücke, zum Beispiel. Wir sangen revolutionäre Lieder und brüllten Losungen in die Luft. Manchmal gab es auch richtige Straßenschlachten, und wir balgten uns bis zum letzten Schweißtropfen. Aber eine richtige Schlacht – ich meine so eine, von der man später einmal erzählen könnte – gab es erst auf der Lettenbrücke, als die Nationale Front ihren Einzug ins Zürcher Industriequartier halten wollte. Das konnten wir nicht zulassen. Das Industriequartier war rot, seit der Erschaffung der Welt, und die Faschisten hatten dort nichts zu suchen.

Als es begann, stand ich neben Schlohmeier. Der war noch ein größerer Scheißkerl als ich. Sein Vater besaß eine Puddingfabrik und Millionen auf der Bank. Er war ein Jahr älter als ich, hatte Pickel im Gesicht und eine Brille auf der Nase. Er beeindruckte mich mächtig, denn mit soviel Geld geht man normalerweise in einen Golfclub, nicht zu den Kommunisten. Aber das gerade machte ihn außergewöhnlich. Er schwamm gegen den Strom und erhob sich gegen seine eigene Klasse. Das verdiente unseren Respekt – fand ich –, denn wir vertraten ja die Ansicht, daß der Mensch erst anfängt, wo sein eigener Vorteil aufhört. Wir gehörten zu den Leuten, die am liebsten auf Nagelbrettern geschlafen hätten. Wir verpönten, was angenehm war oder bequem. Und ich war von allen der Unversöhnlichste, weil ich am anfälligsten war für die Annehmlichkeiten des Lebens. Das hatte ich ebenfalls von meinem

Vater, der ein Genußmensch war. Ich versuchte alles in mir auszumerzen, was meinem Wesen entsprach, und mein Wesen war selbstsüchtig. Wenigstens nach der Lehre von Marx und Lenin, denn meiner Herkunft entsprechend war ich ein klassenfremdes Element. Ein jüdischer Intellektueller. Den Eigennutz hatte ich im Blut und mußte ihn bekämpfen. Ich mußte werden, was ich nicht war: ein Sheriff zum Beispiel, oder ein Durchschnittsgenosse, der im Schatten stand und seine Pflicht tat. Ich übte mich in der Kunst zu begehren, was mir zuwider war. Ich bastelte mir eine künstliche Identität und fing an, systematisch unter falscher Flagge zu segeln. So schwerfällig wie möglich. Mit dem bäuerlichen Gang eines Proleten. Ruppig und vordergründig in Wort und Gehabe. Ich bedauerte fast, keinen Kropf zu besitzen oder Läuse, aber auch das würde noch kommen, hoffte ich. Jedenfalls war ich ein Komödiant. Man glaubte mir mein Theater. Und wenn ich listigerweise einmal erklärte, in Wirklichkeit sei ich faul und feige, da lachten die Genossen und meinten, ich scherze. Schlohmeier hatte auch Schuldgefühle, aber andere. Bei mir war es das schlechte Gewissen, einer Rasse von Krämern anzugehören, die schon vor zweitausend Jahren ihre Außenseiter ans Kreuz genagelt hatte. Schlohmeier gehörte der richtigen

Rasse an, doch er onanierte. Ich kann es nicht beschwören, aber ich nehme es an. Wegen seiner Pickel auf der Stirn. Solche Leute fühlen sich ausgestoßen. Einsam stehen sie vor dem Spiegel und erbarmen sich ihrer Häßlichkeit.

Wir hatten uns im Theater kennengelernt. Man spielte den Don Carlos, der damals noch spannender war als heute. In Deutschland durfte er gar nicht aufgeführt werden. Bei uns saßen Geheimpolizisten im Saal, denn man befürchtete Demonstrationen. Ich war vierzehn Jahre alt und hatte keine Ahnung. Als da einer von der Bühne rief, er wolle Gedankenfreiheit, hielt ich das für ein Stichwort und klatschte los. Ich wollte den ganzen Saal mitreißen, aber niemand klatschte mit. Im Gegenteil. Typisch Zürich! Man zischte mich aus, von allen Seiten, weil ich den ordentlichen Ablauf der Vorstellung störte. In der Pause kam Schlohmeier auf mich zu. Kurzsichtig. Die Schultern verlegen hochgezogen. Versuchte mich anzulächeln und sagte: »Das war tapfer von Ihnen. Ich beglückwünsche Sie!« Er schmeichelte meinen Ohren. Genau das wollte ich hören. Dabei übersah ich, daß er überhaupt nicht tapfer war, daß er hätte mitklatschen können und mir seine Glückwünsche einen Dreck nützten. Ich sah nur, daß er auf mich aufmerksam geworden war, daß er »Sie«

zu mir sagte und Anerkennung zollte für meine Zivilcourage. Ich blickte gleichgültig in die Ferne, als überhörte ich die süßen Worte; doch in Wirklichkeit platzte ich vor Einbildung.

So begann unsere Freundschaft. Er gefiel mir zwar nicht besonders. Er versteckte die schuldigfeuchten Augen hinter den dicken Gläsern seiner Hornbrille und sprach mit schleppend-besserwisserischer Stimme. Er war ungemütlich wie eine Kröte, ein vollkommener Kaltblütler. Bewohnte eine Zwölfzimmerwohnung mit Eltern und Geschwistern, kannte die Logarithmentafel auswendig sowie sämtliche Merowingerkönige in der richtigen Reihenfolge. Er gehörte zu jener Kaste von Auserwählten, die sich niemals irren und denen man keine Fehler nachweisen kann. Bis jetzt hatte ich gemeint, die Revolution trage ein offenes Hemd und eine Jakobinermütze auf dem Kopf. Nun lernte ich, daß meine Vorstellungen romantisch waren. Unreif vor allem. Der Sozialismus sei eine Wissenschaft. Mehr noch. Eine exakte Wissenschaft wie die Geometrie oder Algebra, und alles hänge ab von einer kühlen, von einer objektiven, von einer haarscharfen Analyse; nicht von einer ruppigen Mütze, schief auf dem Kopf, oder einem offenen Hemd. Das machte mir Eindruck. Das war kritisch; gegen den Strom;

Schlohmeier war anders. Wenn wir das Gegenteil der Gesellschaft waren, was er das Gegenteil des Gegenteils. Ein Sheriff im Quadrat, und ich redete mir ein, daß er mir gefalle. Ich versuchte auch, es den Genossen einzureden, aber sie ließen sich nicht überzeugen. Er war – wie soll ich sagen – ein hygienischer Revolutionär. Blitzsauber und vernünftig. Aus weltanschaulichen Gründen, wie er sagte. Seidene Hemden hatte er an, Anzüge aus besten englischen Stoffen, und schämte sich nicht. Er war der bestgekleidete Revolutionär der Welt. Er konnte es sich leisten. Die Proleten mußten ja froh sein, so einen Goldkerl in ihren Reihen zu haben.

Im Grunde genommen war ich neidisch auf ihn, denn er stellte mich in den Schatten. Wenn es einer nicht nötig hatte, sein Leben für die Unterklasse zu versauen, war es Schlohmeier. Trotzdem machte er mit, verteilte Flugblätter, schrieb Artikel, nahm an Sitzungen teil und analysierte die Situation. Er war bewunderungswürdig, aber ungeliebt. Darum wählte ich ihn – als Beweis meiner Selbstlosigkeit – zum Imtimfreund. Für die Mädchen war er ein luftleerer Raum, ein weißer Fleck auf der Landkarte. Sie vergaßen seinen Namen oder blickten durch ihn hindurch, um seine Garstigkeit nicht wahrnehmen zu müssen. Die Jungen hingegen respektierten ihn, denn er war zuverlässig. Sie nannten ihn »Chronometer« und mich, seinen Zwillingsbruder, »Sonnenuhr«, womit gesagt wurde, daß ich weniger zuverlässig war. Er hörte nie auf, an mir herumzunörgeln, obschon er hätte stolz sein müssen, mein Freund zu sein. Chronometer und Sonnenuhr. Wir waren immer beisammen, aber der Chronometer war mir überlegen, weil er wenig sprach. *Ich* sprach viel. Auf hundert Worte, die ich verschleuderte, waren fünfzig überflüssig und der Rest nicht ausgereift. Schlohmeier schwieg tiefsinnig und vielsagend. Er verachtete mich wortlos. Er traf nur selten daneben, da er nur selten seine Meinung äußerte. Wenn er sie aber äußerte, dann berief er sich auf die Klassiker, auf Marx und Lenin und die übrigen Apostel. Ich konnte ihm nicht das Wasser reichen. Dafür gefiel ich den Mädchen. Das war mein Trost. Ob ich gescheit redete oder blöd. Ich war der Hahn im Korb, und Schlohmeier hoffte, dabei etwas mitzuprofitieren. Das war *sein* Grund, mein Intimfreund zu sein.

Ich rede so viel von Schlohmeier, weil ich mich heute noch ärgere, wenn ich an ihn denke, und weil er damals, als wir auf der Lettenbrücke die Arschbacken zusammenklemmten, eine merkwürdige Rolle gespielt hat. Ich sage merkwürdig, weil ich mir die Sache gemerkt habe und seit vierzig Jahren die

Frage stelle, warum er ... aber lassen Sie mich berichten, wie sich das abgespielt hat.

Es war unser strategisches Ziel – eines *seiner* Lieblingswörter –, die Lettenbrücke um jeden Preis zu halten. Sie war ein proletarischer Schwerpunkt und durfte nicht verlorengehen. Wir hatten gelobt – eines *meiner* Lieblingswörter –, daß keine Hitlerfahnen in den Straßen des Industriequartiers wehen würden, es sei denn über unsere Leichen. Sechs Reihen stark standen wir da. Mit dumpfen Blicken und zusammengebissenen Zähnen. Es war ein kühler Oktoberabend. Die Bäume waren bunt. Es duftete nach taufrischen Äpfeln. Plötzlich schien es, als bebe ein fernes Donnergrollen vom Waidberg herüber. Wir starrten hinauf, doch sahen wir nichts. Bald wurde es offenbar, daß es Pauken waren. Bös und langsam schleppten sie sich durch die Häuserzeilen. In weniger als einer Stunde mußte es passieren. Wir wußten nicht genau was, aber zweifellos eine mörderische Angelegenheit. Die Straße, die zum Lettenbahnhof herunterführte, glich einer schlafenden Schlange. Plötzlich erschien ganz oben ein farbiger Fleck. Nein. Drei farbige Flecken. In der Mitte ein Hakenkreuz. Links und rechts davon die Fahnen der Nationalen Front. Jetzt konnte man sie erkennen. Noch eine gute halbe Stunde und es ging los. Wir glühten vor Ungeduld, rannten aus der Kolonne, über die Brücke, aufs feindliche Ufer, um besser zu sehen. Es war eine Armee. Fünfmal so viele wie wir, vielleicht auch mehr. Was da auf uns zukam, war keine Straßenschlacht, sondern ein Blutbad. Ich war nah daran zu verzagen, blickte zurück. Entsetzen zeichnete sich in den Gesichtern ab. Ich weiß es nicht mit Gewißheit, doch ich nehme an, daß die meisten das Gleiche dachten wie ich. In jenem Augenblick fiel mir auf, daß jemand fehlte. Schlohmeier. Wortlos und unauffällig mußte er sich verdrückt haben, und ich war so vorwitzig, es den anderen mitzuteilen: der Chronometer ist verschwunden, brüllte ich, und ein Schrei der Entrüstung erhob sich in unserem Lager. Die Genossen schnaubten vor Wut. Dieser Feigling, dieser pickelübersäte Puddingmillionär, dieser Klassiker des Marxismus-Leninismus hat uns im Stich gelassen! So tönte es von allen Seiten. Es säuselte wie Engelsmusik in meinem Herzen. Ich war auch ein klassenfremdes Element, doch ich war geblieben. Die Schimpfworte gegen Schlohmeier waren Palmwedel für mich. Unausgesprochene Lobeshymnen auf meine revolutionäre Standhaftigkeit, und ich wuchs in meinen eigenen Augen. Ich hatte fast ebensowenig Motive, bei den Kommunisten zu sein wie mein Intimfreund, ich aber verharrte auf meinem Posten. Er nicht. So schien es wenigstens. In Wirklichkeit hatte ich nur langsamer geschaltet als Schlohmeier. Es blieb mir nichts übrig, als zu bleiben. Alle mußten jetzt bleiben. Wir waren Gefangene unserer eigenen Worte. Wäre Schlohmeier nicht davongerannt, hätten wir vernünftig miteinander beraten und den Rückzug angetreten. Das konnten wir jetzt nicht. Wir nannten ihn einen Feigling und Verräter; also mußten *wir* tapfer sein; treu bis in den Tod. Wir konnten nur noch nach vorne flüchten. In den sicheren Untergang, und wir sangen mit hysterischer Inbrunst: Las campanias d'acero cantando al muerte van – wir sind die Stahlbataillone und ziehn mit Gesang in den Tod!

Vom Waidberg herunter marschierten die Faschisten, schlugen die Pauken, schwenkten die Fahnen und hatten keine Angst. So schien es. Sie waren fünfmal stärker, fünfmal siegesgewisser. Wir hingegn hatten alle Hoffnung aufgegeben, lebend aus dem Gemetzel herauszukommen. So grölten wir, skandierten heroische Losungen, schlossen unsere Reihen immer enger, bis die Feinde ganz nahe kamen. Wir konnten sie erkennen. Jeden von ihnen. Schön waren sie nicht, aber schrecklich. Die drei Fahnenträger trugen Studentenmützen auf dem Kopf und seidene Korpsbänder um den Bauch. Sie hatten

Schmisse im Gesicht und gewaltige Kinnladen. Die Hinteren sah man nicht. Nur die Vordersten, und das waren baumlange Kerle, die entschlossen schienen, uns zu zermalmen. Plötzlich wurde es still auf der Brücke. Die Pauken verstummten. Wir hörten auf zu singen. Das war die Ruhe vor dem Sturm. Mir pochten die Eingeweide. Der Zwölffingerdarm zog sich zusammen. Ich wollte umsinken vor Herzklopfen, als neben mir – wie ein Blechwecker am frühen Morgen – eine Mädchenstimme aufschrillte: »No passaran!« Sie werden nicht durchkommen, sollte das heißen. Das schrien die spanischen Republikaner, wenn die Faschisten zum Sturm antraten. Das zündete überall. Bei Teruel, Guadalajara und auf der Lettenbrücke. Hier war es die rote Lily, die uns anfeuerte, und mit selbstmörderischer Lust übernahmen wir die ihre Losung: No passaran – sie werden nicht durchkommen! Aber die Feinde kümmerten sich einen Schnurz um unser Gebrüll und marschierten vorwärts. Noch hundert Schritte, und die Welt mußte untergehn.

Bevor ich nun weitererzähle, will ich kurz mitteilen, wer diese Lily war, denn sie trug schließlich die Hauptschuld an unserem Mißgeschick. Die Rothaarigen sollen scharf sein, sagt man, aber mit Lily war das anders. Ich habe mit ihr geschlafen und kann

Ihnen versichern, daß sie weder scharf war noch fad. Sie machte ihre Sache fleißig. Mit schweizerischem Pflichtgefühl. Ich kenne niemanden, der sich beklagt hätte, und weiß Gott, daß sie es mit allen getrieben hat. Mit Ausnahme von Schlohmeier, selbstverständlich. Der graust mich, pflegte sie zu sagen. Sieht aus wie ein Fleischkäs. Redet wie die sprechende Uhr der Telephonverwaltung. Ein Alptraum! Sie war Serviertochter an der Langstraße. Eher hübsch, wenn ich mich recht erinnere. Alles am richtigen Ort, wohlproportioniert, harte Brüste und einen saftigen Hintern. Die Nase war vielleicht etwas dünn, und alles schien irgendwie spitz an ihr, sogar ihre Art zu sprechen. Mein Vater sagte – nachdem sie einmal bei uns gefrühstückt hatte –, er hätte sich die Revolution eigentlich anders vorgestellt. Vergnüglicher. Aber die Revolution sei kein Karneval, und in harten Zeiten begnüge man sich mit Schwarzbrot! Er war ein Scheusal, mein Vater, und hatte Sinn für Humor, nur übersah er, daß Lily nicht mit mir schlief, um sich zu vergnügen. Dafür erzählte sie nachher, wie es gewesen sei. Ausführlich und mit Einzelheiten. Jedem verteilte sie ihre Zensuren. Jeder ist drangekommen. Von mir sagte sie zum Beispiel, ich sei eine Rakete. Nicht mehr und nicht weniger, wobei sie geheimnisvoll in die Ferne blinzelte. Eine bessere Reklame konnte sie mir gar nicht machen. Eine Rakete im Bett. Man konnte sich Verschiedenes dabei denken: einen kurzen Knall und alles ist vorüber. Oder eine Feuergarbe von Funken und Sternen. Oder einen Strauß von bunten Lichtern, welche aufgehen und verlöschen. Die Mädchen waren neugierig, und mehr brauchte ich nicht. Ich mußte es ihnen zeigen! Ihr letzter Liebhaber war der Sheriff gewesen. Juniorenmeister der Nordostschweiz im Ringen und Schwingen. Lastenträger am Zürcher Güterbahnhof. Ein Dreschflegel mit Froschaugen und kahlgeschorenem Kopf. Manchmal flackerte ein Funken Sehnsucht in seiner Iris, besonders wenn er vom Essen sprach. Einmal sagte jemand, am großen Abend, wenn auf dem Bundeshaus in Bern die rote Fahne hochgezogen würde, bekäme jeder Genosse eine Doppelportion Ente mit Orangen. Da liefen ihm die Augen über, und er leckte sich die Oberlippe ab. Den Namen Sheriff hatte er sich selbst gegeben, denn er hielt sich für den gerechten Arm der proletarischen Revolution. Er war klein, untersetzt, von titanischen Kräften, konnte also Bäume ausreißen. Das tat er auch, als Lily auf dem Albishorn ihren achtzehnten Geburtstag feierte. Er riß eine mittelgroße Rottanne aus dem Boden und überreichte sie ihr als Geburtstagsstrauß.

Als Schlohmeier voll eifersüchtiger Pedanterie erklärte, daß Rottannen unter dem Schutz des Oberförsters stünden, gab Sheriff zurück, er habe das nur getan, weil es zu dieser Jahreszeit keine Wiesenblumen mehr gäbe. Mit dieser »kleinen Aufmerksamkeit« hatte Sheriff das Herz der Genossin erobert, und sie ging mit ihm in die Büsche. Ein paar Tage später erzählte sie, der Juniorenmeister im Ringen und Schwingen sei eine Wildsau, habe ihr am Geburtstag einen Tripper angehängt, und dazu noch im Suff! Das hätte sie nicht zu verraten brauchen. Schlohmeier erfuhr es und berief eine Vollversammlung ein. Mit einem einzigen Punkt auf der Traktandenliste: Sheriff! Wir saßen da und hörten Fremdwörter, die wie Peitschenhiebe auf uns niederprasselten: Promiskuität als Ausdruck einer dekadenten Lebensführung. Sexuelle Zurückhaltung als Pflicht der proletarischen Avantgarde. Gonorrhöe in den Reihen der kommunistischen Arbeiterjugend. Alkohol als Opium für das Volk und so weiter und so fort. Die Sitzung dauerte nicht lange. Sheriff wurde ausgeschlossen. Schlohmeier hatte keine anderen Sorgen. Hitler fraß ganz Europa auf. Mussolini schluckte Abessinien; doch Schlohmeier kämpfte für die Reinheit unserer Reihen. Ein Prachtskerl! Wir wagten nicht, irgendwelche Einwände zu formulieren, denn der Chronometer belegte seine Anklage mit Zitaten aus Marx und Lenin. Schlohmeier hatte gesiegt. Wir verloren den Juniorenmeister im Ringen und Schwingen, den gerechten Arm der proletarischen Revolution, doch hatten wir das freudige Bewußtsein, unsere sozialistische Moral erhalten zu haben. Daran war Lily schuld, diese Kuh, weil sie ihren Tripper an die große Glocke hängen mußte, statt zum Arzt zu gehen und sich ausheilen zu lassen. Nun standen wir da, geläutert und sauber, und vor Angst machten wir in die Hosen, denn zwanzig Schritte vor uns standen die drei Fahnenträger und gaben das Zeichen, uns zu Hackfleisch zu machen.

Wir waren fünfzig Jungen und Mädchen. Wir skandierten unsere Losung und wußten, daß jetzt alles aus war. Aber wir hatten gelernt, daß es ehrenvoller sei, stehend zu sterben, als auf den Knien zu leben. Seither habe ich Leute getroffen, die vorübergehend auf den Knien lebten und gottseidank noch da sind, um der Menschheit wertvolle Dienste zu erweisen. Ich bin auch Leuten begegnet, die ihr Leben lang auf Knien lebten, weil es aus dieser Position bequemer ist, den Stehenden ein Bein zu stellen. Ich selbst bin heute um vierzig Jahre älter und habe es nicht mehr so eilig, einen Heldentod zu sterben, sei es stehend oder auf den Knien. Aber damals fehlte mir die Intelligenz, im richtigen Moment umzukehren. Ich war einfach zu dumm und konnte nicht rechnen. Das Kräfteverhältnis war fünf zu eins für die Korpsstudenten. Die Chance, stehend zu krepieren, war gewaltig, und da erschallte ein Knattern über den Fluß, ein regelmäßiges Husten, das von hinten kam und immer deutlicher wurde. Ich habe schon immer eine blühende Phantasie gehabt. Jetzt bildete ich mir ein, das heroische Proletariat des Industriequartiers eile uns zu Hilfe, wie die gute Fee im Kindermärchen, im letzten Augenblick, mit Maschinengewehren und roten Fahnen, weil die Gerechtigkeit am Ende siegen muß. Alle Wege führen zum Kommunismus, hatte man uns beigebracht, die Lettenbrücke ebenfalls. Es war aber nicht das heroische Proletariat, auch keine rettenden Maschinengewehre, sondern ein halbverrostetes Motorrad Marke Puch – 350 Kubikzentimeter. Darauf saßen zwei sonderbare Gestalten, ein Don Quichote und ein Sancho Pansa; ein Dicker vorne und auf dem Hintersitz ein Asket. Der Dicke hatte einen Strohhut auf dem Kopf, der Asket eine Hornbrille auf der Nase und Pickel im Gesicht. Wir konnten es nicht glauben. Das waren die Todfeinde von gestern, der Moralprediger und das Opium fürs Volk, die brüderlich herbeidonnerten, um das Wunder an der

Limmat zu vollbringen. Sheriff und Schlohmeier. Körper und Geist der Revolution. Sie warfen das Motorrad ans Geländer, und Schlohmeier kletterte auf einen Brückenpfosten, von wo er nüchtern verkündete: »Genossinnen und Genossen: der Sheriff ist wieder da!« Normalerweise hätten wir in hysterische Begeisterung ausbrechen müssen. Vor uns stand ja der Klassenfeind. Dreihundert Mostköpfe mit farbigen Bändern um den Bauch und furchtbaren Unterkiefern. Sie wollten uns zerschmettern und in Stücke reißen, doch der Gesalbte war gekommen auf unser Schlachtfeld. Hoffnung jubelte in unseren Herzen, aber keine Freude. Der Erlöser war Juniorenmeister im Ringen und Schwingen, doch er hatte eine Krankheit, bei deren Namen einem das Lachen verging. Er hatte Lily angesteckt, und Lily würde *uns* anstecken und das konnte so weitergehen, bis die ganze Revolution ein einziger Tripperhaufen war. Dieser Sheriff war ein Schandfleck auf unserer Fahne. Er hurte und soff. Jetzt auf einmal sollte er uns retten. Bitteschön. Das eine hatte nichts zu tun mit dem anderen, wenn man genau überlegte. Aber warum hatte ihn Schlohmeier geholt? Ausgerechnet dieser Sittenrichter mit den dünnen Lippen, der uns mit Zitaten der Klassikern bewiesen hatte, daß Sheriff eine Gefahr sei für unsere Sache, daß jede Verbindung mit ihm zur Verseuchung unserer Heerscharen führe. Das hatte er doch gesagt. Wörtlich und noch schärfer. Nun stand er auf dem Brückenpfosten und teilte mit – ohne rot zu werden –, daß der Sheriff wieder da sei. Was sollte das bedeuten »wieder«? Schon wieder? im Sinn einer Schmeißfliege, die man nicht los wird; oder umgekehrt? Sheriff ist nach langer, höchst bedauerlicher Abwesenheit wieder unter uns. Oder noch besser? Der Totgeglaubte ist auferstanden, lebt und wird euch gleich zeigen, wozu er imstande ist! Das sollte es zweifellos bedeuten, und wir fanden es ziemlich erstaunlich, obschon es gar nichts zu bestaunen gab. Die Kommunisten sind keine Buchstabengelehrten – lehrten uns die Führer –, und sie ändern ihre Taktik, wann immer die Bedingungen es erfordern. Darum wurde Sheriff rehabilitiert. Warum eigentlich nicht? Ein Jahr später schloß Stalin einen Freundschaftsvertrag mit Hitler, weil die Bedingungen es erforderten. Wir lernten nach und nach, noch dickere Brocken zu schlucken; denn die Bedingungen erforderten es stets von neuem. Es machte uns verlegen, doch wir vertrauten der Partei. Wir öffneten Sheriff wortlos die Reihen, und er schritt voran und vorbei, als hätte er uns nie gekannt. Nicht einmal Lily würdigte er eines Blickes. Stumm schlurfte er voran. Ein Dutzend Schritte. Bis zum Hauptmann der feindlichen Armee, zum baumlangen Kerl mit der Hitlerfahne in der Hand. Nun standen sie sich gegenüber. David und Goliath. Sheriff klein und stämmig. Eine riesige Kraft in kurzen Gliedern zusammengeballt. Bös gerötete Froschaugen und auseinandergespreizte Beine. Er blickte zum Philisterkönig hinauf, zum Goliath mit den Schmissen im Gesicht, riß den Strohhut vom Schädel und knirschte: »Mach mal den Rotzlumpen weg, du lustiger Knabe!« Die Beleidigung war um so verrückter, als sie so bescheiden war. Rotzlumpen. Lustiger Knabe. Sheriff war ein Liliputaner neben dem Bannerträger. Er sagte Rotzlumpen, doch das Hakenkreuz war vier Quadratmeter groß. Der Faschist würde sich lächerlich machen, wenn er den kleinen David nur berührte. Darum tat er, als habe er nichts gehört und nichts gesehen. Er wechselte die Fahne von der rechten Hand in die linke, und es konnte losgehen.

Die weiteren Ereignisse waren entscheidend, dauerten aber nur wenige Sekunden. Sheriff wiederholte seine Warnung: »Runter mit dem Rotzlumpen!« Und zum zweiten Mal übersah ihn der Hauptmann. Er setzte sich in Bewegung – hinter ihm dreihundert Übermenschen mit Pauken und Fanfaren. Vor ihm ein Häuflein von Phantasten, die vom spanischen

Bürgerkrieg träumten und der russischen Revolution. Zwischen den Fronten stand ein Zwerg, einen zerbeulten Strohhut in der Hand, entschlossen, den Lauf der Weltgeschichte umzuleiten. Die Einzelheiten jenes Augenblicks habe ich vergessen. Ich erinnere mich nur, wie plötzlich eine riesige Hitlerfahne durch die Luft wirbelte und übers Geländer in die Fluten stürzte. Das war nicht möglich. Das widersprach den Gesetzen der Natur. Der Übermensch hatte keine Zeit, seine Schlappe wiedergutzumachen. Sheriff packte ihn bei den Schenkeln – ein Kniff der Ringer und Schwinger – , hob ihn hoch und schleuderte auch ihn in den Fluß. Wir brachen in ein Siegesgeheul aus. Die Entscheidung nahte. Das Schicksal schien sich zu wenden. Die Unterführer stürzten sich auf unseren Helden, doch waren sie behindert in ihren Bewegungen. Die Sturmbanner störten sie im Kampf, und sie wagten nicht, ihre Heiligtümer wegzuwerfen. Die Würfel waren gefallen. Auch sie flogen in den Lettenkanal mitsamt ihren Seidenschärpen und Nazifahnen. Es ging zu wie im Märchen. Der gute Jäger war gekommen und schmiß den bösen Wolf ins Wasser. Alles wurde wieder gut. Weit hinter uns – auf sicherem Posten – stand Schlohmeier und erteilte den Befehl zum Angriff: Adelante Companieros! schrie er auf spanisch, und wir machten es wie die Genossen vor Madrid und Valencia. Wir zogen mit Gesang in den Tod, oder zumindest über die Lettenbrücke, hinter den flüchtenden Faschisten her. Für eine bessere Welt!

Ein Taumel hatte uns ergriffen, als wir die aufgelösten Kolonnen des Feindes sahen. Wir vergaßen, daß Sheriff den Tripper hatte. Wir verfolgten die Philister, die ihren Goliath verloren hatten und die Schlacht. Sie rannten auf den Waidberg zurück. Sie mußten sich gefallen lassen, daß wir ihnen Roßäpfel nachwarfen und spanische Schimpfwörter. Wir hatten gesiegt und meinten nun, die proletarische Revolution sei unbesiegbar, der große Führer habe recht und alle Wege führten tatsächlich zum Kommunismus.

Am nächsten Abend nahmen wir Sheriff wieder auf. Feierlich. Lily persönlich legte ihm ein rotes Halstuch um den Nacken. Ich gab ihm das Mitgliedsbuch zurück, und Schlohmeier hielt eine kurze Ansprache. Wissenschaftlich und leidenschaftslos. Wie die sprechende Uhr der Telephonverwaltung.

Satan und der Fakir

Wenn ich an ihn zurückdenke, sehe ich seinen kurzgeschorenen Schädel und die eisblauen Sperberaugen, die stets argwöhnisch nach einem Opfer suchten. Wir nannten ihn Satan, bewundernd und haßerfüllt zugleich, denn er war so etwas zwischen Scharfrichter und Liebling der Massen. Er war herrschsüchtig und pfiffig. Reden konnte er wie ein Staatsanwalt, mit gesalbter Stimme und selbstgerechtem Zorn. Er war Hilfsarbeiter bei Tavaro, ein Proletarier seit zwölf Generationen, weshalb er sich mit der gesamten Arbeiterklasse verwechselte und mit dem Kommunismus schlechthin. »La révolution c'est moi«, soll er gesagt haben. Wenn er es nicht gesagt hat, so hat er es gedacht, davon bin ich überzeugt. Er sprach flüssig, eindringlich, mit einem Unterton, der Widerspruch nicht duldete. Er war einer von jenen, die immer recht haben. Darum wurde er unser Leithammel, den alle respektierten und niemand ins Herz schloß.

Es gehört zu den Besonderheiten zahlreicher Weltverbesserer, wenig Sinn für Humor zu haben. Satan hatte überhaupt keinen. Er war zwar boshaft. Manchmal sogar schlagfertig und abschätzig bis zur

Niedertracht, doch scherzen konnte er nicht. Er war ein Sauertopf, ein Griesgram im Quadrat. Er trug die Nase auf halbmast, denn – so pflegte er zu schulmeistern – »die Sklaven seufzen unter ihren Ketten und zu lachen gibt es gar nichts!« Er war so tierisch ernst, daß ich ihn fürchtete. Ich war ja ein Fremdkörper, ein verdammter Intellektueller, ein Störenfried, der ewig müßige Fragen stellte, und besonders solche, auf die er keine Antwort wußte. Aus Angst schloß ich Freundschaft mit ihm, doch unsere Beziehung stand auf tönernen Füßen. Aus weltanschaulichen Gründen, vor allem. Aber auch wegen Mila, die ich heiß begehrte, obwohl sie seine Freundin war und ein strahlendes Attribut seiner Macht.

Manchmal gelang es ihm, den Vogel abzuschießen. Unfreiwillig, nehme ich an. Ich erinnere mich genau. Es war in den fünfziger Jahren. An einem internationalen Jugendtreffen. Mit Fahnen, Spruchbändern, Resolutionen und Kohorten uniformierter Blasmusikanten. Satan vertrat die Jungkommunisten aus der Schweiz, von denen es nur wenige gab; bestenfalls ein paar hundert. Andächtig lauschte er den verschiedenen Delegierten, die mit den Opfern prahlten, die sie gebracht hatten im Kampf gegen Faschismus, Imperialismus und andere Teufeleien der kapitalistischen Weltverschwörung. Als erster stieg ein Russe auf die Tribüne, denn er hatte 16 Millionen Tote anzumelden. Von den anderen 16 Millionen, die in Stalins Konzentrationslagern umgekommen waren, sagte er nichts. Dann kam der Chinese mit 8 Millionen Opfern, und er schämte sich, nur an zweiter Stelle zu stehen. Als dritter sprach ein Pole mit sechs Millionen Leichen, wobei er gleich ein paar Millionen Juden mitzählte, die er sonst nicht zum polnischen Volk zu rechnen pflegte. Darauf kamen die Jugoslawen mit 2 Millionen, die Franzosen mit einer Million und weitere Delegierte mit kleineren Beträgen. Als einundzwanzigster war Satan an der Reihe. Trostlos erhob er sich von seinem Platz und erklärte mit jammervoller Stimme: »Ich bitte die Genossen, uns Schweizer zu entschuldigen; aber wir sind alle noch da!«

Während eines langen Augenblicks herrschte Stille im Saal. Die Russen meinten, falsch verstanden zu haben. Die Chinesen lächelten unverbindlich. Die Jugoslawen vermuteten einen Übersetzungsfehler. Dann brach ein Heiterkeitssturm aus. Ein schizophrenes Gewieher, das besonders die Jugendfunktionäre aus den Oststaaten verärgerte; sie waren meist über vierzig und verstanden keinen Spaß mehr. Dafür brüllten die anderen, klatschten stehend Beifall, rasten, schnappten nach Luft, bis sie ermattet auf ihre Sitze sanken. Sie waren sich einig, daß Satan der Größte sei. Unschlagbar. Der köstlichste Kommunist der Welt. Dabei hatte er nur seinen Kummer formuliert. Ohne Hintergedanken. Mit tiefem Bedauern. Als man mich fragte, woher er wohl seinen Witz habe, gab ich zur Antwort, es gebe auch lustige Marxisten: die Marx-Brothers zum Beispiel.

Doch kehren wir in die Zeit zurück, von der ich hier berichten möchte. Das war im Frühjahr 1945. Der Krieg um uns herum lag in den letzten Zügen. Die Rote Armee stand schon in Bayern. Weitsichtige Eidgenossen sagten voraus, die Kosaken würden bald ihre Rosse im Bodensee tränken. Besonders schlaue Schweizer spielten bereits mit dem Gedanken, gelegentlich bei uns anzuklopfen und gewisse Sympathiebeweise auf unser Postscheckkonto einzubezahlen. Wir waren nicht mehr verboten und noch nicht zugelassen, aber es war schon ungefährlich, auf unsere Nummer zu setzen. Es drängten sich so viele in unseren Verein, daß wir wählerisch wurden. Früher waren wir den Leuten nachgelaufen. Hatten sie bearbeitet, mit langweiligen Broschüren und hölzernen Losungen. Jetzt fingen wir an, Bedingungen zu stellen und pedantische Fragen:

– Wie heißt du? erkundigte sich Satan, indem er wichtigtuerisch in seinem Notizbuch blätterte.

– Was willst du von mir, du Pinsel? Wir sind miteinander in die Schule gegangen. In derselben Klasse sind wir gesessen, und jetzt fragst du, wie ich heiße. Pontet heiße ich und habe immer so geheißen.

– Ich frage nicht meinetwegen, du Maulheld. Die Genossen wollen es wissen, und wenn sich auch kein Hund darum schert, muß ich trotzdem fragen, weil es die Statuten verlangen. Wenn's dir nicht paßt, kannst du nach Hause gehn. Dein Vorname?

– Es paßt mir ganz und gar nicht, erwiderte Pontet. Ich furze auf die Statuten und heiße Louis. Wie mein Vater. Der hieß ebenfalls Louis, doch im Gegensatz zu mir war er ein Schwein. Gleicher Name, gleicher Vorname, aber verschiedene Blutgruppen. Auf die Blutgruppe kommt es an, nicht auf den Namen.

Jetzt setzte er sich, holte ein Taschenmesser hervor und begann, seine Fingernägel zu putzen. Er war der erste, der wagte, Satan die Stirne zu bieten. Wir freuten uns insgeheim. Wir fanden, es sei eine wohlverdiente Ohrfeige für unseren Leithammel, und warfen uns vielsagende Blicke zu. Pontet war zwei Meter groß. Wenn er wollte, konnte er Satan aus dem Fenster werfen. Aber vorläufig wollte er nicht. Seine Haut war gelblich. Er war knochig und hager. Er hatte vierzig Grad Fieber in den Augen. Permanent. Und war schlechter Laune. Ebenfalls permanent, was in jenen Zeiten noch die Ausnahme war, denn Jungkommunisten hatten zu lächeln. Zuversichtlich in die Zukunft zu blicken. Nach Osten natürlich, wo die Sonne aufgeht – obwohl man damals schon spüren konnte, daß sie dort unterging. Aber Pontet war seiner Zeit voraus. Er war – wie man das später zu nennen pflegte – ein zorniger junger Mann. Das verunsicherte uns. Wir erwarteten von Satan, daß er ihn zurechtweisen würde. Mit einem seiner Giftpfeile. Damit der Querkopf begriff, bei wem er zu Gast war. Aber nichts dergleichen trat ein. Die Pattsituation breitete sich aus wie ein Ölfleck. Der Zweikampf blieb unentschieden, und Satan fragte eher kleinlaut:

– Wo wohnst du?

– Das ist eine gute Frage, gab Pontet zur Antwort, wobei er unverschämt in der Nase bohrte –, die Adresse wählt man selber. Im Unterschied zum Namen. Ich wohne an der rue des Etuves, Nummer 13. Da wohnen billige Mädchen und ausrangierte Zuhälter. Da ist es gemütlich. Es stinkt nach Bier und Latrine. Wer dort wohnt, hat den Wurm im Holz.

Wir waren sprachlos. Da kam einer, gab Anweisungen, was wir ihn fragen sollten oder nicht. Und jetzt protzte er mit dem Wurm in seinem Stamm. Satan verzog das Gesicht und angewidert fuhr er weiter in seinem Verhör:

– Beruf des Vaters?

– Eine Sau ist er gewesen. Lebenslänglich. Hab' ich bereits mitgeteilt.

– Hast du, ja, aber davon kann man nicht leben.

– Stimmt, aber ich habe gesagt, daß er tot ist. Gottseidank.

– Und deine Mutter, was macht sie?

– Am Tag oder in der Nacht?

– Was sie für einen Beruf ausübt.

– Am Tag, entgegnete Pontet, indem er sich eine Zigarette drehte – ist sie Servierfräulein. Auf einem Dampfschiff zwischen Genf und Lausanne.

– Und in der Nacht?

– In der Nacht kannst du mich am Arsch lecken, Genosse!

Dieser Mensch war verrückt. Er wohnte in einem Puff. Er gab zu Protokoll, daß sein Vater ein Miststück war und seine Mutter eine Hure. Er tat alles, um uns gegen sich zu stimmen, vielleicht sogar absichtlich, um uns zu prüfen. Es war mir jedenfalls klar, daß wir ihn dafür nicht zurückweisen konnten. Alles durften wir ihm vorwerfen, aber nicht die Herkunft. Wir sangen die Internationale. Wir waren die

Verdammten dieser Erde. Jetzt kam so ein »Verdammter«, wünschte, unser Genosse zu werden, doch wir ekelten uns vor ihm. Das war grotesk. Da konnte etwas nicht stimmen. Wir brüsteten uns, die Partei der Unterklassen zu sein, und wenn einer kam – so ein sozialer Abfall –, zuckten wir zusammen. Wir beriefen uns auf die Ideale der Philosophen, auf die Postulate der großen Revolution, auf die Freiheit jedes Menschen, sein eigenes Leben zu führen. Das wollte Pontet. Sein eigenes Leben führen. Anders sein als alle Übrigen, und wir zuckten zusammen. Wir hatten Angst. Unser Leithammel ganz besonders.

– Dein Beruf? fragte er und blätterte in seinen Papieren.

– Fakir, gab Pontet zur Antwort.

– Ich meine, was du arbeitest. Womit du dein Leben verdienst.

– Bist du taub oder blöd? Fakir bin ich. Weißt du nicht, was das ist?

Er sagte das so selbstbewußt, als sei er Milchmann oder Straßenkehrer, aber jetzt war er zu weit gegangen. Satan wurde rübenrot im Gesicht und brüllte:

– Du streust uns Flöhe ins Hemd. Du möchtest wissen, wie die Kommunisten sich verhalten, wenn man ihnen in die Pantoffeln scheißt. Entweder du antwortest auf meine Fragen oder du fliegst zur Türe raus wie ein Kanarienvogel aus dem Besenschrank. Womit verdienst du dein Brot? Was bist du?

Jetzt erhob sich Pontet zum zweiten Mal. Seine Haare hingen ihm herunter wie schwarze Kreuzottern. Er hatte nun 41 Grad Fieber in den Pupillen. Er beugte sich zu Boden, zog eine Nadel aus dem Stiefelschaft – eine silbrig blitzende Stricknadel, die einen halben Meter lang war – und steckte sie zu unserer Bestürzung in die rechte Backe hinein. Minutiös und umständlich, bis sie zur linken Backe wieder herauskam. Triumphal schaute er über die Versammlung hinweg und mauschelte: »Fakir bin ich, Himmelherrgott, oder braucht ihr noch andere Beweise?«

Das war ein Tritt in die Bauchhöhle. Also stimmte es, was er sagte. Er war ein Fakir. Nicht mehr und nicht weniger. Den Rest mußten wir ebenfalls zur Kenntnis nehmen. Man stelle sich das Bild vor! Da steht einer, hat eine Stricknadel quer durchs Gesicht und will Kommunist werden. Das war im höchsten Grade verwirrend. Der schlief also auf einem Nagelbrett und fügte sich Schmerzen zu, ohne mit der Wimper zu zucken. Allein der Gedanke daran ließ mich erschauern. Er verneinte seinen Körper, um ganz Geist zu werden. Wie ein Bettelmönch aus Nepal. Warum sollte der kein Kommunist werden? Ein idealer Kandidat, wenn man's genau überlegt. Es fragte sich nur, ob er wirklich ganz uneigennützig handelte. Vielleicht war er ein Masochist, der ein Vergnügen fand an den Qualen, die er auf sich nahm. Oder ein Exhibitionist, der auffallen wollte und Ekstasen erlebte, wenn er sich zur Schau stellen konnte. Oder ein hundsgewöhnlicher Krämer, der bereit war zu allem, wenn es nur Gewinn brachte.

Satan war gegen ihn. Das war eindeutig. Aus primitiver Eifersucht, weil ihn Pontet an die Wand spielte. Bis zu diesem Tag war er der unbestrittene Führer, doch jetzt zerrann sein Mythos wie Butter in der Sonne. Der Fakir, das spürte man in der Luft, wuchs ihm über den Kopf, und das konnte er nicht zulassen. Er bedrohte seine Position bei den Genossen und – was bedeutend schwerer wog – bei den Genossinnen. Wenn ich jetzt nicht eingriff und meine ganze Besonnenheit in die Waagschale warf, würde ein Unrecht geschehen. Darum erhob ich mich von meinem Platz, räusperte mich und sagte beschwichtigend:

– Wir müssen gerecht bleiben, Genossen, und kühl. Wenn jemand diesen Fakir nicht leiden kann, ist das Privatsache. Ich will gestehen, daß auch mir das Aufnahmegesuch dieses Menschen einige Schwierigkeiten bereitet, denn es ist beispiellos in der Geschichte der Arbeiterbewegung. Die Klassiker des Marxismus-Leninismus – hier strich ich mir professionell übers Nasenbein – haben sich nie zur Frage geäußert, ob ein Fakir Platz hat in den Reihen der Weltrevolution. Deshalb – jetzt wurde es kirchenstill im Versammlungslokal – schlage ich vor, den Antragsteller aufzunehmen, aber auf Probezeit. Er soll sechs Monate lang beweisen, was er kann und wer er ist. Wenn er sich bewährt – was wir nicht ausschließen wollen –, machen wir ihn zum Vollmitglied. Andernfalls soll ihn der Teufel holen!

Dieser Kompromiß fand Anklang, außer bei Satan. Einen Nebenbuhler hatten wir da eingeschleust. Einen Lumpenproletarier zweifelhaftester Qualität. Womöglich einen Polizeispitzel, der uns samt und sonders verraten würde. Er wettete auf seine Ehre als Kommunist, daß wir alle auf dem Nagelbrett enden würden. Mit einer Stricknadel in der Brust und einem Säbel im Rachen. Und mir warf er an den Kopf, ich sei ein Versöhnler, ein elender Opportunist. Weder Fisch noch Vogel. Dem Teufel eine Mistgabel und dem Herrgott eine Kerze. Jedem wolle ich es recht machen. Es sei kein Verlaß auf mich und so fort. Ich sagte bereits, unsere Freundschaft stand auf wackligen Füßen.

Wir durchschauten natürlich, daß Satan um seine Vorherrschaft rang. Seine Tiraden überzeugten niemand. Aber er hatte nicht ganz unrecht. Pontet war nicht nur originell. Er war auch undurchsichtig. Keiner wußte, ob und wo er arbeitete. Was er trieb, wenn er seinem merkwürdigen Beruf nachging. Er konnte sich doch nicht unaufhörlich Nadeln durch die Backen stecken. Angestellt war er nirgends, aber das konnten wir ihm nicht verargen. Es gab damals Hunderte von Arbeitslosen. Weder im Handel noch in der Industrie hatte man Verwendung für seinesgleichen. Trotzdem mußte er leben, aber keiner von uns hatte ihn jemals bei etwas Nützlichem ertappt. Doch. *Ich* war ihm einmal begegnet, aber auch nicht bei einer seriösen Tätigkeit. Ich stand in einer Bedürfnisanstalt und zielte in die Schüssel. Da bemerkte ich einen Riesen neben mir, der ebenfalls unter Druck stand. Er schielte an mir herunter und fragte mit den frommsten Augen der Welt, wie das eigentlich sei mit den Klassikern des Marxismus-Leninismus. Ich sei ja Spezialist auf diesem Gebiet und könne ihm erklären, ob sie auch pinkeln müssen wie andere Leute oder ob sie, wie die Heiligen, *über* solche Lappalien erhaben waren. Ich war beleidigt. Ärgerlich knöpfte ich die Hosen zu und ermahnte ihn, endlich ernst zu werden und zu beweisen, daß die Einwände gegen seine Person unbegründet seien.

Im Mai jenes Jahres bot sich ihm die Gelegenheit. Wir standen kurz vor den Wahlen und wollten zeigen, daß wir nach siebenjährigem Verbot noch lebten. Daß uns die Illegalität nicht schwächer gemacht hatte, sondern stärker.

Für die Rechtsparteien kandidierte ein gewisser Monsieur Ador, ein aalglattes Neutrum, das wir zum Buhmann erkoren hatten. Ohne Grund. Einfach so. Er nervte uns. Er reizte unser Klassenbewußtsein. Seine Visage machte uns krank. Von allen Mauern grinste sein Biergesicht. Sonntäglich und zufrieden, als hätte es nie einen Krieg gegeben, keinen Hitler, weder Gasöfen noch Krematorien. Aus seinen Schweinsäuglein glimmte Sorglosigkeit und satter Schwachsinn. Wir waren entschlossen, ihn zu Fall zu bringen.

Wir hirnten hin und her, was wir ihm in die Schuhe schieben könnten, aber nichts Originelles fiel uns ein. Satan kam mit einigen Platitüden. Sie begeisterten keinen von uns:

– Er hat eine Warze auf der Nase. Wir erklären ihn zum Warzenschwein, zur Pustelsau, zum Inbegriff der Herrenkaste. Was meint ihr dazu?

Satan blickte in die Runde, doch niemand wollte sich äußern. Nur der Fakir rümpfte die Nase und fragte, ob das alles sei.

– Es gäbe noch andere Argumente, sagte Satan verunsichert. Auf dem Wahlplakat trägt er eine Krawattennadel. Aus Gold und Edelsteinen. Eine Unverschämtheit. Eine Herausforderung für alle Lohnsklaven, die sich nicht einmal ein Paar Schuhe kaufen können. Darüber müssen wir sprechen und mitteilen, auf wessen Kosten er sich herausputzt. Auf unsere natürlich. Wir haben dafür geschuftet. Mit unserem Schweiß und unserer Gesundheit. Ist das besser?

– Mag sein, brummte Pontet, aber lustig ist es nicht.

– Politik ist nicht lustig, fauchte Satan, sondern rücksichtslos. Harte Tatsachen und keine billigen Witze. Von seiner Adresse können wir reden. Er wohnt an der rue des Granges, an der reichsten Straße der Stadt, wo die Grundbesitzer ihre Häuser haben, die Immobilienmakler, die reaktionäre Erbaristokratie. Sie hocken auf ihren Geldsäcken, die jeden Tag größer werden, weil wir zu hohen Mietzins zahlen, weil wir niedrige Löhne bekommen, weil es uns immer schlechter geht. So ist es, Genossinnen und Genossen. Seit 600 Jahren …

– Alte Klamotten, schnödete der Fakir, weißt du nichts Neueres?

– Non Monsieur, ich weiß nichts Neueres, und du?

– Vielleicht schon, aber man hat mich ja nicht gefragt.

– Du bist hier auf Bewährung, verdammt noch mal – du hast zu beweisen, wer du bist und was du kannst. Bei uns wird nicht gemeckert, verstehst du, sondern gearbeitet. Wenn du weißt, wie wir es machen sollen, dann sag es, du Klugscheißer!

– Bitteschön! Samstag nachmittag um zwei. Vor dem Bahnhof Cornavin.

– Was?

– Das werdet ihr sehen.

Wir gingen hin. Zur festgesetzten Stunde, und erlebten einen Schock. Da stand er, unser Fakir, inmitten einer johlenden Menschenmenge, als Heilsarmist verkleidet. Er blies auf einer Posaune wie ein Clown, und dazwischen hielt er kurze Ansprachen, wobei er immer auf das Wahlplakat deutete, das hinter ihm prangte. Er verdrehte seine Augen. Er faltete seine Hände. Seine Stimme bebte vor Ergriffenheit und er predigte mit steinerweichender Innigkeit.

– Ich ermahne euch, meine Brüder und Schwestern. Seid ohne Haß und ohne Bosheit. Betet mit mir und öffnet eure Herzen für die Mühseligen und Beladenen. Schaut euch den Mann auf diesem Bild an. Ihr werdet ihn abstoßend finden, stumpf und widerwärtig. Aber dieser Mann will der Gemeinschaft dienen, und darum braucht er eure Zuneigung. Er hat eine Warze auf der Nase. Seine Haut ist fettig und käsig. Ist das eine Sünde? Er hat die Haut der Unglücklichen, die üppig essen. Müßt ihr ihn deswegen verabscheuen? Warum schlemmt er denn, meine Freunde? Stellt euch die Frage, und ihr werdet begreifen. Er schlemmt, weil er einsam ist. Weil ihn niemand liebt. Aus Verzweiflung frißt er zuviel. Gebt ihm euer Vertrauen, und er wird abmagern.

Die Menge tobte vor Vergnügen, und Pontet fuhr fort in seiner Predigt:

– Und hütet euch vor dem Vorurteil, meine Brüder und Schwestern. Urteilt nicht voreilig! Er trägt eine Krawattennadel aus Gold und Brillanten. Ihr denkt, dieser Mensch sei schamlos und hochmütig, aber das Gegenteil ist der Fall. Dieser Mensch hat mehr Sorgen als wir alle. Wer viel hat, der kann viel verlieren. Wer andere führt, trägt mehr Verantwortung. Erbarmt euch dieses Menschen, der seinem Volke dienen will. Erbarmt euch seiner Sorgen. Er spekuliert an der Börse. Er setzt sein Vermögen auf dem Spieltisch ein. Er wagt seinen Ruf in der Politik, jawohl, aber wer hoch hinaufklettert, stürzt tief hinunter und bricht sich dabei das Genick.

Der Fakir machte eine Kunstpause, die Menge brüllte vor Lachen. Pontet schien plötzlich unendlich traurig. Er wartete ab, bis es ruhig wurde um ihn herum. Dann steuerte er auf den Höhepunkt los.

– Und wo wohnt er, der arme Sünder? An der rue des Granges. In einem Palast, wo die Schritte widerhallen. Wo die Einsamkeit doppelt lastet. Wo es spukt in der Nacht. Wo es – seit 600 Jahren – kalt ist wie in einem Keller. Sein Haus ist zu groß. Es läßt sich gar nicht heizen. Der Wind bläst ihm durch die Knochen. Sogar die Gespenster husten und niesen und klappern mit den Zähnen. Habt doch Mitleid mit ihm! Er schlottert vom Morgen bis zum Abend. Vor Kälte und Angst um sein Eigentum, denn ihr wißt ja. Die Welt ist voller Spitzbuben und Schurken, voller Räuber und Banditen. Ich rufe euch auf, liebe Mitmenschen – jetzt holte er eine Sammelbüchse hervor –, ich bitte euch aus übervollem Herzen: Wirket mit bei der guten Sache! Ein Mensch will uns dienen. Gebt ihm, was er verdient!

Die Leute spielten mit. Sie verstanden den Witz des Fakirs, und Hunderte von Franken flogen in die

Sammelbüchse. Wir hatten den Grundstock für unsere Kampagne.

Das war ein guter Anfang. Pontets Ansehen wuchs proportional zur Eifersucht unseres Leithammels. Sein Auftritt als Heilsarmeesoldat hatte eingeschlagen. Doch die Sache ließ sich nicht wiederholen. Ein zweites Mal wäre die Polizei gekommen und hätte ihn eingesperrt. Wir brauchten einen Slogan. Einen unfehlbaren Wahlschlager, der uns zum Triumph führen würde. Pontet wußte Rat:

– Wir versauen ihm den Namen, schlage ich vor. An Stelle des spitzen A setzen wir ein rundes Q. Dann heißt er nicht mehr Ador sondern Qdor – das spricht sich Küdor, und er hat den Namen, den er verdient: Goldarsch. Auf alle seine Plakate kleben wir die Aufschrift: WÄHLT GOLDARSCH, DAS WARZENSCHWEIN! Ihr werdet sehn. Das trifft ins Schwarze.

Die Idee war so primitiv, daß sie faszinierte. Wir beschlossen, zehntausend Krawattennadeln herzustellen – aus Messing und Glas – und unsere Losung einzugravieren: WÄHLT GOLDARSCH, DAS WARZENSCHWEIN!

Wir verkauften sie zu fünf Franken das Stück, und alles ging gut, bis uns Ador verklagte. Der Verkauf wurde untersagt, was uns an den Rand der Pleite führte. Es blieben 4000 Exemplare, die 20000 Franken eingebracht hätten, genau so viel wie wir brauchten, um unsere Schulden zu bezahlen. Satan jubilierte: »Ich habe euch gewarnt vor diesem Kerl. Jetzt habt ihr die Bescherung«. Aber Pontet ließ sich nicht erschüttern: »Verbotene Früchte schmecken süß«, versicherte er, »wir gehen trotzdem auf die Straße!«

Wir verteilten uns über die place du Molard. Wieder an einem Samstag, als die halbe Stadt durch die Einkaufsviertel strömte. Wir verkauften »den Reißer des Jahres – den polizeilich verbotenen Herrenschmuck«. Pontet hatte recht. Die behördliche Verfügung machte unseren Ramsch erst begehrenswert. Krawattennadeln waren zur großen Mode geworden. Wir waren ein Dutzend Straßenhändler, aber man sah nur den Fakir. Weil er so groß war. Weil er eine Stentorstimme hatte, und vor allem: Sinn für Humor. Wir hatten keinen. Im Gegenteil. Plötzlich knatterten Motorräder herbei. Zwei Uniformierte stürzten sich auf Pontet, der seinen Schlapphut voller Krawattennadeln in den Händen hielt. Der eine schrie:

– Was wird hier verkauft: vorzeigen, aber sofort!

Da verbarg Pontet den Hut hinter seinem Rücken und erwiderte katzenfreundlich: »Kanarieneier und

Rosetten der Ehrenlegion.« Die Menge krähte vor Vergnügen. Der Polizist wurde himbeerrot und kreischte:

– Vorzeigen, was Sie im Hut haben, sonst nehmen wir Sie mit.

– Nichts, erwiderte der Fakir, die Kanarieneier sind verkauft, die Rosetten verteilt und der Hut ist leer. Übrigens. Was soll ich im Hut haben? Haben *Sie* etwas im Hut?

Zweiter Heiterkeitsausbruch der Menge, die immer zahlreicher wurde. Der andere Ordnungshüter legte die Hand auf die Pistolentasche und zischte:

– Hut her, oder Sie werden es bereuen!

Da zeigte Pontet seine Kopfbedeckung, doch sie war leer. Nichts war zu sehen, obwohl noch vor einem Moment ein paar hundert Krawattennadeln darin gefunkelt hatten. Das war zuviel für den Bullen. Er schaute hinein. Nahm den Hut in seine Hand. Schüttelte, drehte ihn um, aber vergeblich. Eine peinliche Angelegenheit. Entweder hatte er Erscheinungen, oder er war das Opfer eines Hexenwerks, das er nicht durchschauen konnte. So blieb ihm nichts übrig, als dem Kollegen einen Wink zu geben, kehrt zu machen und in einer Seitengasse zu verschwinden. Kaum war er weg, spuckte Pontet auf den Rand seines Sombreros, und die Krawattennadeln waren wieder da. Sie blitzten in der Abendsonne wie der Schatz der Sierra Madre, und darauf stand geschrieben:

WÄHLT GOLDARSCH,
DAS WARZENSCHWEIN

Der Fakir verkaufte jetzt das Stück zu zehn Franken. Der Andrang war beispiellos. Doch da kreuzte der gleiche Polizist aus der entgegengesetzten Richtung auf. Er schnellte herbei wie ein Floh und schrie schon aus der Ferne:

– Hut her oder ich schieße.

Pontet verneigte sich tief, zeigte seine Kopfbedekkung. Sie war leer. Er hatte gewonnen. Noch einmal. Es schien, daß er immer gewinnen mußte. Dieser Mensch wurde uns unheimlich, und Satan murmelte: Die Sklaven seufzen unter ihren Ketten, doch euer Schaumschläger spielt den Hanswurst. Ihr werdet euch meiner erinnern: auf dem Nagelbrett werden wir enden, alle zusammen!

Die weiteren Ereignisse würden anders verlaufen sein, bedeutend undramatischer, wenn nicht Mila dazwischengekommen wäre. Mila. Die verwirrende Freundin unseres Leithammels. Aber so ist es im Leben. Die Weiber mischen sich ein, und es passieren Dinge, die keiner für möglich gehalten hätte. Es dämmerte jene Maiennacht, die für Pontet zur eigentlichen Prüfung wurde.

Nur noch drei Tage trennten uns von den Wahlen, und wir klebten auf alle Adorplakate unsere Aufschrift: WÄHLT GOLDARSCH, DAS WARZENSCHWEIN! Mila war auch dabei.

Sie war eine Hexe mit rotblondem Haar und grünen Augen. Solche Augen sollte man verbieten in der Arbeiterbewegung. Auch solches Haar wie ihres. Es reichte ihr bis unter die Hüften. Ehrenwort. Man erzählte, in Jugoslawien sei sie manchmal am Strand gelegen, splitternackt, und hätte sich nur mit dem Haar zugedeckt. Ich bin überzeugt, daß sie selber solche Gerüchte verbreitete, um uns die Köpfe zu verdrehen. Sie sei bei den Partisanen gewesen, die Geliebte des Generals, hieß es, habe Heldentaten vollbracht, bis sie eines Tages, im Bajonettkampf niedergestreckt, durchs Rote Kreuz in die Schweiz gebracht und von einem berühmten Chirurgen gerettet worden sei. Mehr wußten wir kaum über sie und auch das nicht mit Gewißtheit. Alles andere malten wir uns aus. Wie die Wellen an ihren Knöcheln leckten und die Sonne an ihren Brüsten. Neben ihr lag die Knarre im Anschlag – ein irres Bild oder nicht – und der Stahlhelm im Sand. Wir träumten von einer neuen Welt und dachten an ihre Augen.

Wir sprachen vom Sozialismus und meinten ihren Bauch und ihre Schenkel.

In jener Maiennacht war sie also dabei. Sie verteilte Kleister und Pinsel, damit wir die Losungen kleben konnten. Jedem gab sie, was er brauchte, und jedem schaute sie besonders tief in die Seele hinein. Mit einem Augenaufschlag, den man nie vergessen konnte. Sie war zwar die Gefährtin unseres Leithammels, aber jeder glaubte zu verstehen, daß sie den Tapfersten belohnen würde. Auch *ich* hatte solche Illusionen. Ich malte mir aus, wie süß es sein würde in ihren Armen, und war entschlossen, mich selbst zu übertreffen. Leider hatte ich Pech. Ein anderer wurde belohnt.

Pontet war mit zwei Koffern erschienen. Wir fragten nicht, was darin sei, denn wir hatten ja vereinbart, daß er die Druckerzeugnisse mitzubringen hatte. Er klaubte ein Schlüsselchen aus der Tasche, öffnete den größeren der zwei Koffer und gab jedem von uns zwanzig Exemplare. Was übrigblieb, behielt er für sich. Mila gab auch ihm einen Topf Kleister und einen Pinsel dazu. Sie blickte ihm in die Augen. Vielleicht etwas länger als uns, und zwinkerte dabei ganz unauffällig, was sie bei den anderen nicht getan hatte.

Der Schauplatz der nun folgenden Ereignisse

heißt Plaine de Pleinpalais, ein großer Spiel- und Rummelplatz in der Mitte von Genf. Es gab da Dutzende von Buden und Ständen, an denen tagsüber geramscht und gejahrmarktet wurde. Doch jetzt war es zwei Uhr morgens. Aller Stadtlärm war längst verstummt. Einige von uns kleisterten beim Ausstellungspalast. Andere am Rond Point. Der Fakir pinselte hinter dem protestantischen Tempel, einsam, fleißig und lautlos. Ein zarter Nebel kroch durch die Straßen. Man hörte eine Nachtigall schluchzen. Ich fragte mich, wo Mila wohl sein mochte. Hinter einem Fliederbusch? In einer Schießbude? Zwischen den Säulen der Kirche, wo Pontet seine Losungen klebte. Wir hatten beschlossen, daß sie Wache stehen und uns warnen würde, wenn etwas passieren sollte. Insgeheim hoffte jeder auf einen Zwischenfall, auf ein Abenteuer, bei dem er beweisen könnte, was für ein Mann er sei. Plötzlich schrillte ein Pfiff durch die Nacht. Unser Traum ging in Erfüllung. Jeder verbarg, wie abgemacht, den Pinsel unterm Hemd, rollte die Aufschriften zusammen und brachte den Kleistertopf in Sicherheit. Ein zweiter Pfiff schrillte durch die Stille. Wir warfen uns auf den Rasen und krochen in Deckung. Die Warnung war begründet. Ein Auto rollte herbei. Ein Streifenwagen mit blauem Blinker und grellen Scheinwerfern. Wir begriffen sofort. Jemand hatte uns bemerkt und angezeigt. Nun kamen sie, um uns das Handwerk zu legen. Sie fuhren langsam am Rond Point vorbei, mußten aber feststellen, daß die Straßen leer waren. An den Häuserfassaden prangten die Plakate und auf den Plakaten unsere Losung. Das war eine Tatsache. Das sah man sogar in der Nacht. Wir aber hatten uns in Luft aufgelöst. Mit *einer* Ausnahme: Pontet. Er stand mitten auf der Straße, vor dem protestantischen Tempel, einen Schlapphut auf dem Kopf und zwei Koffer neben sich. Als wollte er verreisen. Das war stark. Wir hatten doch beschlossen, daß alle – sobald Mila das Zeichen gäbe – sofort zu verschwinden hätten. Aber der Fakir furzte ja auf unsere Beschlüsse. Das hatte er gleich zu Anfang bekanntgegeben, und Satan triumphierte:

– Was habe ich gesagt? Dieser Tropf spitzelt für die Polizei, aber ihr wollt ja einen Helden aus ihm machen. Jetzt habt ihr das Geschenk. Aufs Nagelbrett wird er uns legen, alle miteinander und dich inbegriffen, du intellektuelle Seifenblase!

– Er spitzelt doch nicht für die Polizei, gab ich zurück, er will uns bloß imponieren.

In der Tat. Er inszenierte seinen großen Auftritt. Es war stockfinster. Am Himmel gab es weder

Mond noch Sterne, aber Pontet hatte eine Beleuchtung wie der Heldentenor an der Mailänder Scala. Der Streifenwagen war stehengeblieben. Der Motor wurde abgestellt, doch die Scheinwerfer sorgten für Rampenlicht. Zwei Gendarmen stiegen aus, und es begann ein Terzett, das dem Fakir den Erfolg seines Lebens brachte. Nicht bei uns, wir rasten vor Eifersucht. Die zwei Beamten sahen aus wie im Kasperletheater. Der eine rund und klein. Der andere dünn und groß. Der Magere hatte eine Fistelstimme. Der andere schien zu gurgeln und eröffnete die Szene mit den Worten:

– Was machst du da?

Der Fakir nahm seinen Hut vom Schädel und boxte einen Krater in dessen Wölbung.

– Ich hab' gefragt, was du da machst, wiederholte der Kleine.

– Ich warte auf die Straßenbahn, entgegnete Pontet mit der vergnügtesten Stimme der Welt, und du?

– Bist du besoffen, Knabe? Um halb drei Uhr morgens? Auf die Straßenbahn? An einer Straße, wo es keine Schienen gibt und keine Haltestellen. Und außerdem: was fällt dir ein, mich zu duzen?

– Du duzt mich ja auch, Liebling. Wir finden uns einfach sympathisch, und darum sind wir nett zueinander.

Der Dünne machte nun zwei Schritte auf Pontet zu und fistelte ihn an:

– Dich hab' ich schon irgendwo gesehen, Mensch. Paß mal auf, was du da redest!

Darauf Pontet:

– Und dich hab' ich noch nirgends gesehen, mein Schatz. Ich kenne dich nicht und rate dir, Abstand zu halten, denn du duftest aus dem Mund.

Der Fakir war eindeutig zu groß. Man konnte ihm keine runterhauen, weil das technisch nicht machbar war. So blieb es beim Wortgefecht, das leider nie aufgeschrieben wurde. Es mochte etwa folgendermaßen getönt haben:

– Du wartest also auf die Straßenbahn, sagst du?

– Ich habe Zeit.

– Mit zwei Koffern?

– Wenn nötig bis morgen früh.

– Was hast du denn drin in den beiden Koffern?

– Privatsache!

– Dann wollen wir mal hineingucken.

– Ich sagte schon: Privatsache. Da könnt ihr nicht hineingucken.

– Wir können alles, Junge. Mach die Koffer auf, aber husch!

– Nein, danke.

– Zum letzten Mal: tu, was dir befohlen wird!

– Ich bin ein Sonderling, mein Lieber. Ich tue nie, was mir befohlen wird.

– Wenn du nicht aufmachst, schieß ich dich über den Haufen.

– Schlechte Idee, Onkel. Ich habe 20 Zeugen.

– Wo sind denn deine 20 Zeugen?

– Privatsache, aber nicht weit von hier.

– Ich zähle auf drei. Dann knallt es.

– Da! Kannst selber aufmachen.

Pontet gab dem Hageren ein Schlüsselchen und zündete sich eine Zigarette an. Während der Dünne aufsperrte, hielt der Dicke Ausschau nach den zwanzig Zeugen, die ihm offenbar in die Knochen gefahren waren. In diesem Moment klickte das Schloß. Die Bullen klappten den Deckel auf, leuchteten hinein und schlugen ihn – eine Zehntelsekunde später – wieder zu.

Ich hatte schon Verschiedenes gesehen, aber das war einzigartig. Das war der Zusammenbruch der Schwerkraft. Die Kerle blitzten empor, quirlten in die Luft, drehten sich um die eigene Achse und sausten in ihren Streifenwagen zurück, mit dem sie davonrasten. Pontet paffte gemütlich an seinem Stengel. Er wartete, daß wir kommen würden, und wir kamen. Alle zwanzig. Mila zuerst. Sogar Satan war überwältigt und vergaß, den Fakir für seine Disziplinlosigkeit zu rügen. Jetzt belagerten wir ihn. Wir wollten wissen, was eigentlich passiert war. Was war im Koffer?

– Ihr wollt mir ja nicht glauben, daß ich ein Fakir bin.

– Sag, was im Koffer ist!

– Zwei Brillenschlangen, sonst nichts.

Die Hochzeit fand drei Monate später statt. Ende Juli desselben Jahres. In der russischen Kirche, denn Mila wollte orthodox getraut werden. Nicht daß sie besonders fromm war, aber wenn man einen Fakir heiratet, kann ein kirchlicher Segen nichts schaden. Alle Genossen waren anwesend, gebrochenen Herzens. Satan erschien aus Protest in einer Turnhose und gelbem Ruderleibchen. Auch Pontet war da, er war schließlich der Bräutigam, sowie seine mannstolle Mutter, die tagsüber auf einem Dampfschiff servierte. Zur Feier des Tages trug sie einen schwarzen Strohhut mit goldenen Bändern. Ich befand mich ebenfalls unter den Leidtragenden und wunderte mich, warum die Braut fehlte. Alle wunderten sich, besonders der russische Pope. Er sagte, er habe schon allerlei Leute getraut, aber noch nie einen Bräutigam ohne Braut. Wir warteten eine viertel, eine halbe, eine dreiviertel Stunde. Unsere Schadenfreude wuchs. Mila kam nicht. Jeder von uns schöpfte neue Hoffnung. Frau Pontet aber fing an zu schwitzen. Sie sprayte sich unter den Achseln und zog nervös ein Seidentüchlein aus dem Brustausschnitt. Wir jubilierten innerlich, und der Fakir haßte uns entsprechend. Er war selber schuld. Er hatte uns das Wasser abgegraben in jener Maiennacht. Mit seinen zwei Koffern und den Brillenschlangen darin. Hörner hatte er uns aufgesetzt, jedem einzelnen von uns – und dem Satan ein ganzes Geweih.

Mit fünfundfünfzig Minuten Verspätung traf Mila ein. Sie trat in die Kirche, strahlend wie ein Sommermorgen, und lächelte selig. Pontet fragte tonlos, wo sie herkomme. Aus dem Zirkus, Louis. Ich habe mich totgelacht.

Da geschah etwas, das seit dem berühmten Schisma von Konstantinopel in keiner orthodoxen Kirche passiert ist. Pontet versetzte Mila eine Ohrfeige, daß sie gegen das Taufbecken taumelte. Die Orgel fing an zu spielen, und der Pope fragte, ob Fräulein Mila Stankowitsch bereit sei, Herrn Louis Pontet zum Mann zu nehmen. Da griff sich das Mädchen ins rotblonde Haar und riß sich die Perücke vom Kopf. Sie stand da, glatzköpfig, jämmerlich, mit einer schrecklichen Narbe am Schädel und sagte ganz ruhig: »Dankeschön, ich verzichte auf das Vergnügen.« Noch am selben Tag kehrte sie zu Satan zurück, womit der Zweikampf der Giganten ein Ende gefunden hatte.

Seit jenen Geschehnissen gingen die Jahre ins Land. Wir alle sind ergraut. Wir alle fanden mehr oder weniger plausible Gründe, dem Kommunismus den Rücken zuzukehren. Satan ist heute Direktor eines multinationalen Konzerns. Pontet wurde Inhaber eines exklusiven Nachtklubs. Mila hat einen Diplomaten geheiratet und lebt irgendwo in Südamerika. Goldarsch – das war vorauszusehen – ist bei den Wahlen durchgefallen. Er zog sich ins Börsengeschäft zurück. Nur *ich* habe keine Karriere gemacht. Ich bin geblieben, was ich war: ein verdammter Versöhnler. Dem Teufel eine Mistgabel und dem Herrgott eine Kerze.

Koklüsch und die Macht

Ich schrieb damals meine Doktorarbeit »Über die Rolle großer Gestalten in der Weltgeschichte«. Ich wollte beweisen, daß die Marxisten recht haben mit ihrer Theorie, jeder Held sei der Vollstrecker historischer Gesetze. Ich glaubte an das Wirken von Zwangsläufigkeiten. Ich war überzeugt, daß es keine Zufälle gibt und alles so kommt, wie es kommen muß. Ich las zahllose Bücher. Ich schrieb Tag und Nacht und verpflegte mich bei Madame Bigler, wo ein gewisser Gaston der hervorstechendste Kostgänger war. Wenn dieser Kerl neben seiner Freundin saß – sie hieß Mireille –, konnte man erraten, daß ihm die Zeit nicht lang wurde. Weder bei Tag noch bei Nacht. Meines Erachtens war er etwas einfältig, aber schlagfertig wie ein Maschinengewehr. Er war Hilfsmechaniker bei Gardi & Co. Eine Lehre hatte er nicht absolviert. Weder Kunst noch Wissenschaft belasteten sein Gemüt. Dafür konnte er reden. Zwar immer über die gleichen Gegenstände, doch in tausend Variationen. Am häufigsten ging es um Klassenkampf. Genauer gesagt um seinen Klassenkampf gegen einen gewissen Flury aus Solothurn, der Vorarbeiter war und trotz seiner bald zwanzig Jahre in Genf noch kaum französisch sprach.

Den Patrons ist das egal, sagte Gaston, solange er hinter uns herschnüffelt und den Zuträger macht für die Betriebsleitung. Ein idealer Kettenhund, denn er findet keine Frau, die mit ihm ins Bett will. Ich meine unentgeltlich und freiwillig. Und weil er geizig ist, vergnügt er sich allein. Das kommt billiger. Am nächsten Morgen hat er Kopfweh und verpfeift uns beim Personalchef, um sein Gewissen zu erleichtern. Dabei müßte er nur früher aufstehn und zur Beichte laufen, aber auch das kann er nicht, dieser Filzwurm.

Das waren ungefähr die Nachhilfestunden, die er mir erteilte in Sozialwissenschaft und Menschenkunde. Jeden Tag zwischen Salat und Bratkartoffeln. Es entspannte ihn, Flury zur Sau zu machen. Wenn er sich sein Plansoll von der Leber geschimpft hatte, fühlte er sich besser und witterte das Morgenrot der Revolution. Niemand von uns kannte Flury, aber Gastons Erzählungen würzten den Galgenfraß, den Madame Bigler auf den Tisch stellte. Flury wurde für uns zum Inbegriff des Klassenfeindes.

– Am großen Abend, schloß Gaston eine seiner Konzertarien, wenn die Patrons ihr Brot als Kanalputzer verdienen und unsere Fabriksirene die Internationale heult, wird Flury einbalsamiert und ausgestellt im naturhistorischen Museum, als warnendes Beispiel für alle Arschkriecher der Welt!

Gaston besaß ein Rennvelo und eine bereits erwähnte Braut, die er Mimi nannte. Das Rennvelo war damals kein Fahrzeug an sich, sondern ein Prestigesymbol. Der berühmte Ferdi Kübler war gerade Straßenweltmeister geworden, und alle Schweizer sahen in ihm die Verkörperung ihrer zu kurz gekommenen Träume. Gastons Rennvelo war verchromt und blitzblank. Es besaß zehn Gänge und einen Geschwindigkeitsmesser, der ziemlich überflüssig war, weil Gaston sein Fahrrad kaum je zum Fahren benutzte. Er liebte es, sein Eigentum spazierenzuführen. Die linke Hand auf der Lenkstange, die Rechte um die Hüfte seines Mädchens geschlungen, drängte er sich jeden Mittag durch das Menschengewimmel. Gemächlich und verliebt schlenderten die beiden durch die Stadt. Vom Kino Alhambra, wo Mireille an der Kasse saß, bis zur Pension Bigler an der rue de Carouge. Niemand konnte begreifen, wie Gaston zu seinem Glück kam. Dieses Mädchen war ein Engel. Sie hatte eine blütenweiße Haut, ein Schönheitsfleckchen am Kinn und blaue Äderchen an der Schläfe. Manchmal, wenn ihr jemand zu nahe trat, zog sie die Luft ein, ließ die Nasenflügel erbeben und schoß einen ihrer Wortpfeile ab, der unvermeidlich ins Schwarze traf. In solchen Augenblicken war sie Spitzenklasse, und alle – ich natürlich auch – mißgönnten Gaston den Edelstein, den er unseres Erachtens gar nicht verdient hatte. Was besaß er mehr als wir? Einen schütteren Schnurrbart und gelbe Schnittlauchsträhnen, die ihm in den Nacken hingen. Ein loses Maul und keine Spur von Finesse. Er war eine Vorstadtschnauze. Er glaubte an die Überlegenheit der Muskelkraft, weil er nichts anderes kannte. Das machte Eindruck auf Mireille. Flury war ihm gleichgültig. Der Personalchef nicht minder. Nicht einmal Madame Bigler imponierte ihm, und das erhöhte ihn in den Augen des Mädchens zum Herzkönig im Kartenspiel der Liebe. Gaston war ein Realist. Er glaubte nur, was er sah. Die Rätsel des Lebens machten ihm keine Sorgen: die Proletarier werden immer zahlreicher – erklärte er –, darum *müssen* sie siegen. Der Konkurrenzkampf verzwistet die Patrons unter sich und führt sie zum Untergang. Der Sozialismus folgt auf den Kapitalismus wie die Sonne auf den Regen. Der Krug geht zum Brunnen, bis er bricht. Zwei mal zwei sind vier. Wer daran zweifelt, ist verrückt. Von diesen Leitsätzen war er überzeugt. Ich ebenfalls, aber nicht so felsenfest wie er. Darum hatte ich weniger Erfolg bei den Frauen als Gaston, der eine eiserne Gewißheit ausstrahlte. Er war ein Glückspilz. Ich nicht.

An jenem Tag kam er herein, gefolgt von Mimi, die sich noch die Nase puderte im Vorzimmer. Er schnupperte und stellte fest, daß es roch wie alle Tage: nach feuchtschimmligen Tischdecken und verkochtem Blumenkohl. Er blieb stehen zwischen Türe und Quertisch, schneuzte sich die Nase und verkündete trocken:

Nächsten Montag gibt es hier Erdbeben. Mit Wetterleuchten und Blutwurst!

Die Pension Bigler war keine Pension im üblichen Sinn dieses Wortes. Eher eine Speiseanstalt dritter Klasse. Sie erfreute sich aber – Gott weiß warum – eines wachsenden Zulaufs aus den verschiedensten Bevölkerungsschichten. Die Gäste teilten sich in Fraktionen. Wie ein Parlament. Sie schimpften alle gegen die Regierung – im konkreten Fall gegen Madame Bigler –, doch sonst waren sie sich spinnefeind. Neben den Linken, zu denen auch ich gehörte und Gaston sowie ein Dutzend anderer Weltverbesserer, gab es eine Gruppe kaufmännischer Angestellter, die sich durch besonders fade Mäßigung auszeichneten. Beim Fenster saßen die Anarchisten, die demonstrativ ungewaschen, ungekämmt und unrasiert auftraten. Sie erklärten, mit unseren Parteigötzen seien wir noch obrigkeitshöriger als die Pfaffen, und sie hatten recht. Es gab auch eine Handvoll Vegetarier. Sie verweigerten den Kriegsdienst, predigten Gewaltlosigkeit, kämpften gegen Tabak und Alkohol und tranken Wasser, bevor sie sich zu ihrem Haferbrei setzten. In der Mitte hockten die Deutschschweizer. Man nannte sie Sonntagsficker, denn sie kauten still vor sich hin, eine schweigende Mehrheit, die uns befremdet anstaunte und stets fürchtete, von irgendeiner Minderheit mitgerissen zu werden. In Wirklichkeit waren sie äußerst neugierig. Sie kamen, um sich sattzuhören und Dividenden einzustreichen auf dem Ideenmarkt der Pension. Sie waren die Vorzugskunden der Madame, weil sie termingerecht zahlten, sich kaum jemals ereiferten und nie an einer Diskussion teilnahmen. Sie sagten, sie hätten Schwierigkeiten mit der Sprache. In Wirklichkeit verstanden sie jedes Wort, und als Gaston ankündigte, es gebe ein Erdbeben in Genf, fragte einer erschrocken:

– Was für ein Erdbeben und warum ausgerechnet am Montag?

Gaston setzte sich bedeutungsvoll an seinen Platz und teilte mit, daß im Kino Alhambra eine Giftsuppe gebraut werde, eine Filmpremiere gegen das neue China. Hitler sei noch nicht kalt im Grab, und schon schlagen sie wieder die Hetztrommel. Ein Propagandadreck unter dem Titel »Die gelbe Gefahr«.

– Wer gefährdet uns, Kameraden? Fühlt sich hier jemand angegriffen? Oder will man uns einreden, unsere Freiheit sei bedroht, weil es in China keine Unternehmer mehr gibt? Und keine Vorarbeiter? Und keine Aktiengesellschaften? Was bin ich denn hier? Eine Seifenblase bin ich, und das einzige Recht, das ich habe, ist zu platzen. Ich scheiße auf diese Freiheit!

– Sei doch froh, keifte ein kaufmännischer Angestellter, daß du noch scheißen darfst auf unsere Freiheit. Das beweist, daß du sie hast. Geh doch mal nach China und sag dort ein Wort gegen ihre Ordnung. Wenn du überlebst, fahr ich auch hin und werde Chinese.

– Auf dich warten die gerade, höhnte Gaston, aus solchen Roßäpfeln macht man dort Naturdünger.

– Weil ihr den Schnupfen bekommt, wenn einer anders denkt als euresgleichen.

– Denken darf jeder, was er will. Aber nicht die Umwelt verschmutzen mit reaktionärem Unrat.

– Deshalb habt ihr ja den eisernen Vorhang. Zur

Reinhaltung der kommunistischen Stickluft. Und daß die Welt nicht erfährt, wie ihr Naturdünger macht aus euern Gegnern.

Jetzt wurde es ungemütlich, doch glücklicherweise erschien Madame Bigler mit einer Porzellanschüssel voll Zwetschgenkompott, und der heilige Krieg wurde unterbrochen.

Am nächsten Morgen prangten Plakate von allen Reklamesäulen der Stadt: DIE GELBE GEFAHR oder DER UNTERGANG DER WEISSEN RASSE. Premiere im Kino Alhambra, am 4. Oktober 1950.

Diese Premiere mußte verhindert werden. »Gelbe Gefahr« – »Weiße Rasse«. Das waren Reizwörter, die man kannte. Gewöhnliche Völkerhetze war das, und wir mußten etwas unternehmen.

Als erstes boten wir das »Stahlbataillon« auf – einen Stoßtrupp erprobter Raufbolde, mit tätowierten Armen und steinernen Fäusten. Treue Klassenkämpfer mit niedriger Stirn und furchtgebietendem Unterkiefer. Sie erhielten die Aufgabe, einsamen Passanten aufzulauern und ihnen Ziegelsteine feilzubieten. Das Exemplar zu zehn Franken, wobei eine Ablehnung kaum ratsam erschien. Das Ziegelgeschäft lief prächtig. Wenn ein nächtlicher Heimkehrer fragte, was man mit dieser Ware denn anfangen solle, antworteten die Kerle:

– Mitnehmen, Monsieur. Als Eintrittskarte zur GELBEN GEFAHR. Premiere am Montag, im Alhambra. Sie wissen doch. Das Kino mit der verglasten Vorderfront.

Die Idee stammte von Gaston. Sie besaß alle Vor- und Nachteile seiner beschränkten Intelligenz. Der Vorteil bestand darin, daß wir einen Mordsspaß hatten. Der Nachteil in der Tatsache, daß wir für den Film eine unbeabsichtigte Reklame machten. Der kleine Mann horchte auf. Fühlte sich bedroht. Nicht von der amerikanischen Premiere, sondern durch unsere Ziegelsteine. Nun glaubten die Leute tatsächlich an eine Gefahr. Nicht an die gelbe, sondern an die rote.

Wir konnten tausendmal beteuern, unsere Aktion ziele gegen die Kriegshetze; die paar Backsteine seien Himbeeren im Vergleich mit dem Atomregen, falls es noch einmal losginge. Unser Ruf war hin. Wir setzten brave Mitbürger unter Druck. Wir stachelten öffentlich dazu auf, die Scheiben eines Kinos einzuschlagen. Wir wollten erwachsene Schweizer daran hindern, einen Film anzuschauen und sich ihre eigene Meinung zu bilden. Die erste Runde hatten wir verloren, und was wir vermeiden wollten, war eingetreten: das Kino war ausverkauft. Wenn da nicht Mimi gewesen wäre, hätten wir auch die zweite Runde verspielt. Aber gottseidank gab es Mimi!

Mireille hatte einen Einfall, der sich in der Folge als Götterfunke herausstellte. Es war ihr gelungen, für ihre Zwecke zwei Eintrittskarten sicherzustellen. Eine für Gaston. Die andere für einen gewissen Koklüsch, was auf deutsch Keuchhusten bedeutet. Koklüsch war ein Veteran des Radsports. Bereits über siebzig. Bekannt wie ein falscher Groschen und ewige Zielscheibe wohlgemeinter Witze von jung und alt. Jeder duzte ihn. Jeder zog ihn auf, denn er war debil und gab den ungereimtesten Blödsinn von sich, der sofort weitererzählt wurde und als Schlager des Tages zirkulierte. Er hatte ein Ziegengesicht mit dünner Nase und fliehendem Kinn. Seine Stimme glich dem Kreischen einer Kreissäge. Er sprach nicht, er keuchte, in asthmatischen Fetzen, als lache er Tränen, was er manchmal auch tat. Das kam selten vor, wenn es aber vorkam, brach es herein wie ein Naturereignis und verbreitete sich wie die Lustseuche. Dabei muß gesagt werden, daß er von unerreichter Humorlosigkeit war. Auf hundert Späße verstand er *einen*: den dümmsten. Es gab ein paar Schlaumeier in Genf, die wußten, wie man ihn andrehte. Einer von ihnen war Gaston.

Am Samstagnachmittag fand in La Capite ein

Amateurrennen statt. Zum Gaudium der Sportfreunde war auch Koklüsch am Start. Er trug wie immer seine grüne Clubmütze auf dem Kopf und hoffte auch diesmal, als schlechtester Fahrer einen Trostpreis zu gewinnen. Seine Hoffnung ging in Erfüllung. Er schwitzte als Letzter durchs Zielband und bekam das »goldene Schlußlicht«, mit dem er die Ehrenrunde fahren durfte. Vor der Tribüne stand Mireille, als Ehrenjungfrau bekleidet, und überreichte dem Armen einen Briefumschlag mit dem besagten Kinobillet. Sie küßte ihn auf beide Wangen. Das Publikum raste vor Begeisterung und Gaston beglückwünschte ihn mit der Einladung, morgen um halb acht auf ihn zu warten. Vor dem Kino Alhambra. Es gebe ein Fest für ihn.

Koklüsch war schwachsinnig, aber man konnte sich verlassen auf ihn. Zum festgesetzten Zeitpunkt erschien er vor dem Kino und wunderte sich, warum so viele Polizisten anwesend seien. Gaston erwiderte wahrheitsgetreu: »Wegen der gelben Gefahr, verstehst du? Die ist nämlich ansteckend, und hinterläßt Rostflecken, die man nicht mehr wegbringt. Nicht einmal chemisch. Darum gibt es jetzt so viele Fälle von Gelbsucht in der Schweiz, tu comprends?«

Koklüsch nickte. Er schien zufrieden. Gaston

ebenfalls, und beide Männer betraten den Saal, wo eine dreifache Kontrolle stattfand. Alles, was Namen hatte und Rang, war herbeigeströmt. Natürlich auch Flury, der vielgehaßte Vorarbeiter, der seit zwanzig Jahren zum ersten Mal ins Kino ging. Er setzte sich zwei Reihen schräg hinter Gaston und schielte wachsam zu ihm hinüber, als wüßte er, was gespielt wurde.

Zuerst kam die Reklame. Dann die Voranzeige des nächsten Filmes. Gaston kaufte Schokoladenkugeln und teilte sie mit Koklüsch, der sich ungemein nobel vorkam und meinte, er gehöre zur Prominenz. Um Viertel vor acht gingen die Lichter aus. Man zeigte die Wochenschau: die englische Königsfamilie auf einer Hundeausstellung. Eine Schiffskatastrophe an der schwedischen Küste. Das Pferderennen in Longchamps und eine Schönheitskonkurrenz in Las Vegas. Punkt acht erdröhnte der Gong. Es war soweit. Die gelbe Gefahr konnte beginnen. Schauerliche Musik rieselte aus allen Lautsprechern. Die Leinwand überzog sich mit brodelnder Lava, aus der sich ein winziger Punkt herauslöste. Er wurde größer, wuchs zum schwarzen Kreis, wurde ein klaffender Krater. Es war der tausendfach vergrößerte Lauf einer Pistole, die sich auf die Zuschauer richtete und drohte loszuknallen. Der Titel flackerte auf. Die Musik erklomm ihren Höhepunkt, und Gaston lehnte sich zu Koklüsch hinüber, um ihm ins Ohr zu flüstern: »Laß die Hosen runter, Kamerad, gleich geht der Schuß los!«

Gleich geht der Schuß los. Das ist eine Redewendung, die auf französisch eine unzweideutig sexuelle Bedeutung hat. Aus der allgemeinen Beklommenheit wimmerte ein Keuchen hervor, ein ächzendes Husten in oberster Stimmlage. Zuerst glaubte man, es gehöre zum Film, doch bald stellte man fest, daß es aus einer Reihe kam, wo das billige Publikum saß. Von hinten wurden Zischtöne laut, aber das Keuchen verstummte nicht. Im Gegenteil. Es wurde konvulsiv und penetrant. Man merkte, daß da nicht geweint wurde, sondern gelacht. Der Film war schrecklich, von Anfang an. Ein Schlitzauge trat eine weiße Frau in den Unterleib, doch im Saal wurde gequiekst. Das war unerhört und zeitigte die erstaunlichsten Folgen. Es begann ein Prozeß von hysterischer Zellteilung. Neben der Winselstimme fing jemand an zu jaulen, als wäre ein Bazillus auf ihn übergesprungen. Bald waren es vier, dann acht, sechzehn und zweiunddreißig Opfer des Schüttelfiebers. Immer mehr Leute schnappten nach Luft, japsten verzweifelt und wußten nicht, was sie so erheiterte. Auf der Leinwand wurden Amerikaner zu

Tode gekitzelt, Engländer skalpiert, aber das Lachen verbreitete sich in geometrischer Progression. In einer Folterzelle wurden jemandem Glaskugeln in den After gequetscht, und schon begannen auch die teuersten Plätze sich zu winden. Das war ein Hexensabbat, und keine Vernunft der Erde schien imstande, dieser Lawine Einhalt zu gebieten. Koklüsch hatte bewiesen, daß einer wie er zum Epizentrum eines Erdbebens werden kann. Die Vorstellung wurde unterbrochen. Die Lichter gingen an, und durch die Notausgänge drang eine Einheit bewaffneter Schutzleute in den Saal. Sie hatten den Befehl, den Rädelsführer herauszufinden, was ihnen auch gelang, und zwar mit Hilfe eines Denunzianten namens Flury, der von seinem Platz aufsprang, über die Sitzreihen kletterte, Koklüsch am Kragen packte und brüllte: »Voilà le communiste!«

Der Ziegenkopf wußte nicht, was ihm geschah. Er gluckste noch immer. Völlig erschöpft von der Anstrengung. Tränen liefen ihm über das Gesicht, als man ihn aus dem Kino schleppte, dessen Ehrengast er zu sein glaubte. Erst jetzt beruhigte sich der Saal, und schon wollte man fortfahren, als Gaston aufstand und eine kurze Ansprache hielt:

– Das war eine Kostprobe, meine Mitbürgerinnen und Mitbürger, von der gelben Gefahr in weißer

Übersetzung. Sie konnten die tapferen Boys unserer Sicherheitspolizei bewundern, die einen zweiundsiebzigjährigen Greis verhaftet und abgeführt haben, weil er am falschen Ort gelacht hat. Es ist offenbar verboten, am falschen Ort zu lachen. Bei uns bestimmt der Staat, wann man sich amüsieren darf und wann nicht. Jetzt wissen wir aus eigener Erfahrung, woher wir bedroht sind. Jetzt gehen wir nach Hause und lachen dort, wo uns niemand hört oder stört. Aber vergessen Sie nicht abzusperren, sonst kommt ein Spitzel und denunziert Sie bei den Behörden!

Gaston war ein Volksverführer. Seine Rede traf ins Schwarze. Der Saal scharrte und klatschte Beifall. Es stand fest, daß *wir* die zweite Runde gewonnen hatten. Nicht wir – um es genau zu sagen –, sondern Mimi, denn das war ihre Idee und verlief nach ihrem Szenario. Die meisten Besucher verließen das Kino, und es blieben nur ein paar Hartgesottene, unter denen sich auch Flury befand, der verhaßte Vorarbeiter aus Solothurn.

Koklüsch kam ins Gefängnis von Saint-Antoine. Dort mußte er büßen für ein Verbrechen, das nicht er begangen hatte, sondern wir. Aber das konnte er nicht wissen, glücklicherweise. Er wußte überhaupt nichts. Nicht einmal, daß er über Nacht zum Nationalhelden geworden war. In den Morgenblättern las man bereits von seinem Mißgeschick, und gegen Mittag sprach die ganze Stadt von ihm. Jetzt erfuhren wir, daß Koklüsch nur ein Spottname war. In Tat und Wahrheit hieß er Pipignoni. Ferdinand Pipignoni oder sogar Monsieur Ferdinand Pipignoni, wie ihn das vornehme Journal de Genève zu nennen geruhte. Es war herzerquickend, was man über ihn schrieb:

– unbescholtener Waldarbeiter...
– sechzig Jahre ehrlich geschuftet...
– zum Lohn ein paar Handschellen...
– die Kleinen sperrt man ein...
– die Drahtzieher bleiben ungeschoren...
– die Polizei macht sich lächerlich...
– wofür zahlen wir Steuern?...

Sogar Madame Bigler verlor an jenem Dienstag ihre Besonnenheit. Bisher hatte sie immer gesagt, sie kenne nur *einen* Gott, und das sei der Schweizerfranken. Heute stemmte sie die Fäuste in die Hüften und wetterte: »Wenn die so weitermachen, geh ich zu den Roten.«

Auch die kaufmännischen Angestellten waren wie umgekrempelt. Einer von ihnen verstieg sich zur tapferen Drohung: »Wenn sie Koklüsch nicht freilassen, machen wir Krach.«

– Was für einen Krach, Mensch? Ihr wart doch immer für Ruhe und Ordnung.

– Genau, aber diesmal hat die Polizei angefangen.

– Ich gehe mit der Mehrheit. Die Mehrheit ist für Koklüsch.

– Fahrt doch mal mit der Straßenbahn. Da könnt ihr hören, was die Leute sagen.

– Das Volk hat die Nase voll, ihr werdet sehn.

– Heute sitzt er im Gefängnis. Morgen in der Regierung...

Ein Vegetarier trat an unseren Tisch und reichte Gaston eine Hundertfrankennote, was damals eine Menge Geld war:

– Ihr seid zwar eine Bande von Hornochsen. Koklüsch ist ein gewöhnliches Arschloch – ich kenne ihn persönlich –, aber Gewalt gegen einen Halbschlauen, das ist unfair.

Die Anarchisten schnödeten wie immer. Wir seien Kaninchen, sagten sie, und wenn wir Haare hätten am Hintern, würden wir eine Ladung Dynamit unters Gefängnis stecken. Kurz und schmerzlos, und die Sache wäre erledigt.

Auf diese Herausforderung zog Mimi die Nasenflügel hoch. Sie warf den Kopf in den Nacken und blinzelte damenhaft in die Ferne:

– Ich persönlich fühle mich angesprochen, Monsieur, aber ich würde mich hüten, mit dem Gefängnis auch unseren Freund Koklüsch in die Luft zu jagen. Oder sehen Sie das anders?

Das war einer jener Volltreffer des Mädchens mit dem Schönheitsflecken am Kinn. Gaston wetzte triumphal die Zunge am Backenzahn, und die Anarchisten erklärten kleinlaut, auch eine Stinkbombe würde genügen. Ins Polizeipräsidium zum Beispiel. Als Warnung.

An jenem Tag geschah *noch* ein Wunder. Die Deutschschweizer mischten sich ins Gespräch, und es stellte sich heraus, daß die schweigende Mehrheit fließend Französisch sprach. Der griesgrämliche Ägerter, der sonst nur dasaß und kuhäugig in den Teller stierte, zeigte ungeahnte Qualitäten:

– Was wir jetzt brauchen, sagte er trocken, sind drei oder vier Großbetriebe, die mit der ganzen Belegschaft nach Saint Antoine marschieren. Wenn zehntausend Unterhunde bellen, dann tönt es so laut, daß es sogar die Regierung vernimmt, obwohl sie sonst taub ist. Ich bin Dreher bei Tavaro. Ich bringe zweitausend Kollegen auf die Beine.

– Und ich Schleifer bei Hispano. Wir sind dreitausend.

– Wenn Gaston die »Gardi« zusammentrommelt, haben wir siebentausend

– Ich arbeite auf der Hauptpost

– Ich bei den städtischen Verkehrsbetrieben

– Wir sind Verkäuferinnen im Grand Passage ...

Am Mittwoch abend um sechs brach in Genf der Verkehr zusammen. Aus allen Gassen wälzten sich Menschenmassen der Stadtmitte entgegen. Auch eine Blasmusik war da und ein Mandolinenorchester des Arbeiterturnvereins Satus. Über die Rhonebrücke zog ein stets größer werdender Menschenstrom zur place Longemalle und von dort hinauf zum Bourg de Four. Die Leute waren ausgelassen und skandierten die verrücktesten Losungen. Zuerst ganz harmlos:

– Schweigen ist gesund,
drum haltet den Mund!

– Wer nicht lacht zur rechten Zeit,
der muß schlucken, was übrigbleibt.

Dann schon bedrohlicher:

– Einer hat das Maul verzerrt,
wurde dafür eingesperrt!

– Wer hier lacht,
wird kaltgemacht!

Zuletzt rief die Menge:

– Koklüsch, Liberté!

– Koklüsch, au pouvoir!

was nicht mehr und nicht weniger hieß, als daß der Dorftrottel Bürgermeister werden sollte. Hier stutzte ich zum ersten Mal. Mein Verstand sträubte sich gegen den Massenwahn, und ich verdrückte mich in Bovards Bierstube, um bei einem Humpen kurz zu verschnaufen. Das ist ja Heldenkult, was da getrieben wird, sagte ich mir, der kürzeste Weg zur Verblödung. Aber von draußen kreischte die Begeisterung herein und überdröhnte meine Zweifel. Ich zahlte und eilte auf die Straße zurück, wo ich von der Menge mitgerissen wurde.

Es war ein widerlicher Oktoberabend. Ein kalter Wind fegte durch die Straßen. Man fror bis in die Knochen hinein, aber selten sah ich vergnügtere Gesichter in Genf. Wenn wir sonst durch die Straßen demonstrierten, quetschten wir die Zähne aufeinander und brüllten papierene Parolen in die Luft. Heute aber waren uns die Zügel entglitten. Eigenwillig und führerlos zog das Volk dem Gefängnis entgegen. Wir waren übermütig wie noch nie. Koklüsch Liberté – hallte es aus allen Himmelsrichtungen, und als das Glockenspiel der Peterskathedrale sieben schlug, standen um die zwölftausend Menschen auf dem Platz. Es war Nacht geworden. Zur Linken die Mauern von Saint-Antoine. Zur Rechten die ehrwürdige Vorderfront des Rathauses. Eine unübersehbare Menschenmenge skandierte jetzt ganz deutlich: »Koklüsch au pouvoir« – Koklüsch an die Macht! Entsetzen rieselte mir den Rücken hinunter. Wo waren die historischen Gesetze, wo die Zwangsläufigkeiten der Weltgeschichte?

Da hörte ich von einem Kandelaber Gastons Stimme. Er war hinaufgeklettert und hielt eine Rede, von der man noch heute spricht:

– Wir sind jetzt zwölftausend, liebe Mitbürgerinnen und Mitbürger. Ich rate euch im Namen des hohen Stadtrats strammzustehn, die Arschbacken zusammenzuklemmen und nicht zu lachen, denn Lachen ist verboten!

Ein Orkan der Heiterkeit wirbelte über den Platz. Die Menge jubelte und schrie, bis Gaston Ruhe gebot und weiterhetzte:

– Mit welchem Recht wird hier gelacht, verdammt noch mal? Ihr wißt doch genau, daß man ohne polizeiliche Erlaubnis nicht einmal das Gesicht verziehen darf, und wer es trotzdem tut, gehört ins Gefängnis, wie unser Nationalheld Ferdinand Pipignoni, genannt Koklüsch, der ebenfalls gegen die Paragraphen verstoßen hat und dafür im Knast sitzt. Jawohl, dort drüben sitzt er, der arme Teufel, kaum hundert Meter von hier entfernt, und wir fordern gleiches Recht für alle. Auch *wir* wollen in den Knast. Alle zwölftausend, vorwärts, marsch!

Dieser Einfall war beispiellos. Gaston sprang von seiner Laterne herunter und führte die johlende Menge einem besoffenen Abenteuer entgegen. Die halbe Stadt folgte Gaston und wollte ins Gefängnis.

Ich weiß nicht, was in jenem Augenblick auf der Gegenseite geschah, aber ich kann mir ausrechnen, daß zwischen dem Rathaus und Saint-Antoine die Telephone heißliefen. Jedenfalls ging ein Rasseln durch das Tor, als wir vor dem berüchtigten Gebäude ankamen. Ein Innenflügel wurde aufgesperrt, und wir standen wie vom Blitz getroffen. Aus dem Vorhof watschelte ein Männlein mit O-Beinen und Ziegenkopf: der Nationalheld und Liebling des Volkes: Koklüsch Liberté, wie er von jenem Tag an hieß. Er wurde zum Inbegriff unseres Triumphs über die Obrigkeit.

Die weiteren Ereignisse sind schnell erzählt. Es war eine Orgie, die nun folgte. Man krähte und tobte durch die Nacht. Man hob Koklüsch auf die Schultern. Man trug ihn voran wie eine Fahne. Ich glaube kaum, daß er begriff, was los war; denn vor dem Hauptbahnhof verlangte die Menge, daß er eine Rede halte. Es wurde totenstill auf dem Platz.

Koklüsch schaute mit leeren Augen in die Ferne, und unvermittelt sprach er die Worte, die am Anfang seiner Karriere standen:

– Laßt die Hosen runter, Kameraden, gleich geht der Schuß los!

Das war der Höhepunkt seines Lebens. Er hätte irgend etwas sagen können in jener Sternstunde. Das Volk raste vor Begeisterung und fand ihn formidabel, denn in Wirklichkeit feierte es nicht ihn, sondern sich selbst. Der Abend endete, wie er enden mußte. Mit einer satanischen Sauferei, zu Ehren des Nationalhelden und des kurzen Augenblicks der Schwerelosigkeit. Ich hatte nicht den Mut mitzufeiern. Ich machte mich unauffällig davon, um nicht dabeizusein, wenn jemand den Ziegenkopf zum Staatspräsidenten ausrufen würde. Es fehlte mir der Mut, solch eine Mitschuld auf mich zu laden. Darum ging ich nach Hause, zündete ein Feuer an und verbrannte meine ersten zweihundert Seiten »über die Rolle großer Gestalten in der Weltgeschichte«. Die Ereignisse jenes Abends hatten mich belehrt, daß die Historie ihre eigenen Wege geht und nur die Vorsehung weiß, was für Hornochsen morgen über unser Schicksal entscheiden werden.

Am darauffolgenden Tag besuchte ich meinen

Professor und bat um ein anderes Thema für meine Doktorarbeit. Er lächelte nachsichtig und gewährte mir meinen Wunsch.

Zu dieser Ausgabe

insel taschenbuch 2319
André Kaminski
Der Sieg über die Schwerkraft

Die Erzählungen *Der Sieg über die Schwerkraft, Frau Zaui, Ich und die Menschenfresser* erschienen erstmals in der Ausgabe André Kaminski, *Die Gärten des Mulay Abdallah*. Neun wahre Geschichten aus Afrika. Suhrkamp Verlag, Frankfurt am Main 1983 (suhrkamp taschenbuch 930); die Erzählungen *Der Sheriff, Satan und der Fakir, Koklüsch und die Macht* in der Ausgabe André Kaminski, *Herzflattern*. Neun wilde Geschichten. Suhrkamp Verlag, Frankfurt am Main 1984 (suhrkamp taschenbuch 1080). Umschlagabbildung: »Le rève de Newton«. Lithographie von Louis Nussbaumer. Der Abdruck erfolgt mit freundlicher Genehmigung von Louis Nussbaumer.

André Kaminski

»Vor allem ist André Kaminski einer der liebenswürdigsten Schriftsteller überhaupt.«
Annemarie Stoltenberg, Die Zeit

Flimmergeschichten. Insel. 224 Seiten. Gebunden.

»Diese Geschichten sind guter alter Erzähl-Burgunder, es ist eine warme Melodie darin. Solche Geschichten gibt es viel zu selten: Man darf dort auf einem Bein hüpfen, lächeln, zwei, drei Tränen verdrücken und der scheinbar längst obsolet gewordenen Meinung huldigen, mit Liebe und Offenherzigkeit könne man Menschen bessern.« *Annemarie Stoltenberg, Die Zeit*

Kiebitz. Roman. Insel. 363 Seiten. Gebunden.

»Kaminski beschreibt seine Gestalten sehr einprägsam und brennt in den Dialogen ein Feuerwerk an hintergründigen Wortspielen und explosivem Witz ab. Mit Sicherheit wird dieses Buch seine Leser nachhaltig bewegen.« *Brigitte Eyssen, Hannoversche Allgemeine Zeitung*

Nächstes Jahr in Jerusalem. Roman. Insel. 392 Seiten. Gebunden. Auch als suhrkamp taschenbuch 1519.

»Dem hintergründigen Witz und der atemberaubenden Erzählkunst des Autors ist es zu verdanken, daß man diesen literarischen Sturm des Lebens und der Leidenschaften unbeschadet heiter und doch ein wenig geläutert übersteht.« *Peter Hausner, Österreichischer Rundfunk*

Schalom allerseits. Tagebuch einer Deutschlandreise. Insel. 234 Seiten. Gebunden. Auch als suhrkamp taschenbuch 1637.

»›Sie schlagen dich mundtot mit ihrem Applaus‹, sagt ihm einer zum Schluß der Reise. ›Im Gegenteil, ich werde schreiben‹, hat ihm André Kaminski geantwortet. Er hat es getan. Zum Glück.« *Klara Obermüller, Die Weltwoche*

Die Gärten des Mulay Abdallah. Neun wahre Geschichten aus Afrika. suhrkamp taschenbuch 930. 150 Seiten.

»Daß dieser André Kaminski überdies ein blendender Geschichtenerzähler ist, werden inskünftig alle diejenigen wissen, die seine ›Neun wahren Geschichten aus Afrika‹ lesen.« *Klara Obermüller, Die Weltwoche*

Herzflattern. Neun wilde Geschichten. suhrkamp taschenbuch 1080. 194 Seiten.

»André Kaminskis neues Buch macht mich neidisch in mancherlei Hinsicht. Nicht nur möchte ich so spannend und so gescheit erzählen können, wie er es im Band ›Herzflattern‹ in seinen ›neun wilden Geschichten‹ tut, ich möchte auch über diese Fülle an Erlebtem verfügen.« *Hansruedi Fritschi, Tages-Anzeiger*